LE GUIDE OFFICIEL DES

LICENCE DE POKÉMON
Le présent document atteste que
a reçu officiellement
le titre d'entraîneur de Pokémon
par la Ligue des Pokémon.

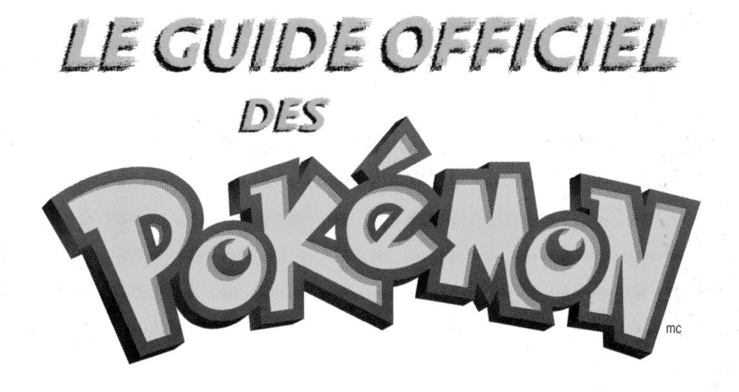

Maria S. Barbo

Texte français : Le Groupe Syntagme Inc.

Les éditions Scholastic

À mon frère, qui m'a donné la piqûre des jeux vidéo

ISBN 0-439-00541-8

Titre original : The Official Pokémon Handbook

Édition publiée par Les éditions Scholastic,
175, Hillmount Road, Markham (Ontario) Canada, L6C 1Z7

4 3 2 1 Imprimé au Canada 0 1 2 3 4 / 0

UN MOT DU PROFESSEUR OAK

Bienvenue dans le monde des Pokémon! Je suis le professeur Oak. Disons que je suis une sorte de spécialiste de tout ce qui concerne les Pokémon (prononcer Po-qué-mon). Au fil des ans, j'ai vu des centaines de nouveaux entraîneurs capturer leur premier Pokémon — y compris mon propre petit-fils, Gary. Je ne collectionne plus de Pokémon. (Je préfère laisser la place aux plus jeunes.) Mais j'enseigne les rudiments du métier à la nouvelle génération d'entraîneurs de Pokémon.

TA MISSION : Collectionner et entraîner le plus grand nombre possible d'espèces de Pokémon connus (150 en tout). Je fournis à de nombreux entraîneurs leur premier Pokémon. Habituellement, je leur demande de choisir entre trois Pokémon de débutant — Bulbasaur, Charmander ou Squirtle. Une fois que tu as ton premier Pokémon, tu peux le faire combattre et capturer d'autres Pokémon.

Tes **alliés et amis** sont Ash, Misty et Brock, des éleveurs et entraîneurs de Pokémon.

Tes **ennemis**? Le diabolique Team Rocket : Jessie, James et Meowth, leur sinistre Pokémon, ainsi que leur patron, Giovanni. Ils sont déterminés à combattre ce qu'ils appellent les « fléaux » de la vérité et de l'amour, en capturant et en maîtrisant tous les Pokémon rares. (Ohhh! — Je ne peux supporter la façon dont ils maltraitent tous ces pauvres Pokémon innocents!) Si on ne les arrête pas, ils pourraient dominer le monde!

Ton **rival le plus sérieux** est mon petit-fils, Gary. Tu vas probablement te battre contre lui à quelques reprises. Il est déterminé à être le meilleur, mon petit-fils — et il est sur la bonne voie!

Ton **but** pourrait être de devenir le **plus grand maître**

de Pokémon au monde, comme Ash — remporter chaque combat, collectionner les 150 Pokémon et joindre les rangs des maîtres-entraîneurs de la ligue des Pokémon.

Ou encore, tu peux devenir un **éleveur de Pokémon**, comme Brock, et apprendre à élever les meilleurs Pokémon en les aidant à tirer profit de leur force intérieure et de leur personnalité. Tu peux aussi simplement, comme Misty, collectionner et entraîner des Pokémon d'un élément particulier. La spécialité de Misty, ce sont les Pokémon d'eau.

Les combats ne t'attirent pas? Ce n'est pas grave. Les Pokémon peuvent devenir des compagnons fidèles et affectueux.

Peu importe ce que tu décides, tu dois en savoir le plus possible à propos de tes Pokémon. Ces créatures n'obéissent pas à tout le monde. Elles recherchent des amis, et non des maîtres. Plus tu en sais sur tes Pokémon,

plus tu pourras leur enseigner des techniques, et plus ils seront proches de toi.

C'est pourquoi j'ai préparé ce Pokédex à l'intention de chaque entraîneur de Pokémon. Il est rempli d'informations et de conseils à propos des Pokémon et de la façon de les entraîner. **Garde-le à portée de la main en tout temps : quand tu regardes la télévision, quand tu joues avec le jeu, quand tu échanges un Pokémon avec un ami ou quand tu décides quel Pokémon tu vas ajouter à ta collection.** Utilise-le comme guide. Lis-le attentivement. Pose des questions. Il renferme tous les renseignements que tu dois savoir.

Bon, tu dois maintenant avoir hâte de commencer. Il y a beaucoup de Pokémon à attraper — et beaucoup, beaucoup de choses à apprendre.

Bonne chance!

Professeur Oak

LA CHASSE AUX POKÉMON

Les Pokémon sont des créatures qui ont toutes sortes de formes, de tailles et de personnalités. Certains vivent dans les océans, d'autres dans des grottes, de vieilles tours, des rivières ou de hautes herbes. Certains Pokémon ressemblent à des plantes; d'autres, à des animaux. Certains ont même la forme de fantômes!

On compte **150 espèces** de Pokémon. Chaque espèce regroupe des milliers de Pokémon. Certains sont très communs, comme Pidgey et Rattata. Tu peux les trouver presque partout. D'autres Pokémon, comme Articuno, sont si rares qu'il n'en existe qu'un seul dans le monde entier.

Chaque Pokémon a sa propre personnalité. Par exemple, on compte de nombreux Pikachu, mais celui de Ash, qui le suit partout dans ses aventures, est très particulier.

L'apprentissage des entraîneurs de Pokémon est une expérience amusante, passionnante, parfois dangereuse et toujours intéressante. Les Pokémon vivent indomptés à l'état sauvage.

Si tu as dix ans, tu peux recevoir une licence de la ligue des Pokémon, qui te permettra de commencer ton apprentissage d'entraîneur de Pokémon. Comme l'a mentionné le professeur Oak, ta mission consiste à aller à la **chasse aux Pokémon** et à collectionner un spécimen de chacune des 150 espèces de Pokémon. Ensuite, tu pourras leur enseigner à devenir les meilleurs Pokémon qui soient. Tu leur montreras à combattre et les échangeras avec d'autres entraîneurs. Mais, surtout, ils deviendront tes amis.

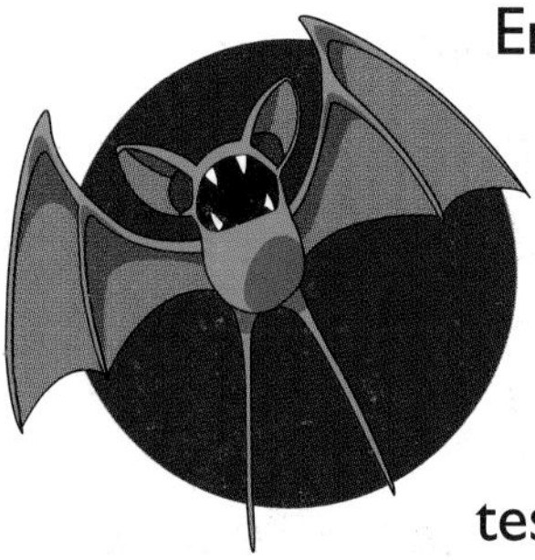

La chasse aux Pokémon a lieu dans des villes, des forêts, des rivières, des océans, des grottes et sur les routes qui les relient. Les **villes et villages** sont au centre de l'action. Dans chacun d'eux, il y a un centre des Pokémon, où tes amis peuvent se remettre sur pied après une bataille. Tu peux aussi utiliser les ordinateurs du Centre pour communiquer avec le professeur Oak afin de découvrir comment tu te compares aux autres entraîneurs et pour entreposer ton Pokémon dans un système mémoire particulier. Il y a aussi des centres commerciaux appelés Poké Marts, qui vendent des balles Poké et d'autres accessoires, ainsi qu'un gym où tes Pokémon peuvent s'exercer à combattre les Pokémon d'autres entraîneurs et où tu peux comparer tes compétences avec celles du chef de gym.

Les entraîneurs commencent leur chasse dans leur propre ville. Ash Ketchum et de nombreux autres entraîneurs ont débuté à **Pallet**, là où le professeur Oak — le spécialiste des Pokémon — a son laboratoire. Il remet à tous les nouveaux entraîneurs de Pallet leur tout premier Pokémon et leur propre Pokédex. Mais les abords de la ville sont aussi très intéressants. Les villes et villages sont reliés par des routes, des champs gazonnés et des forêts, où vivent la plupart des Pokémon sauvages. Une foule de Pokémon à attraper, à entraîner et à ajouter à ta collection.

N'oublie pas que chaque Pokémon est unique. Il ne peut supporter d'être maltraité. Si tu le mets dans une situation qu'il n'aime pas ou que tu es méchant avec lui, il ne t'obéira pas. Il pourrait même s'endormir en plein milieu d'une bataille. Par-dessus tout, les Pokémon veulent ton amitié!

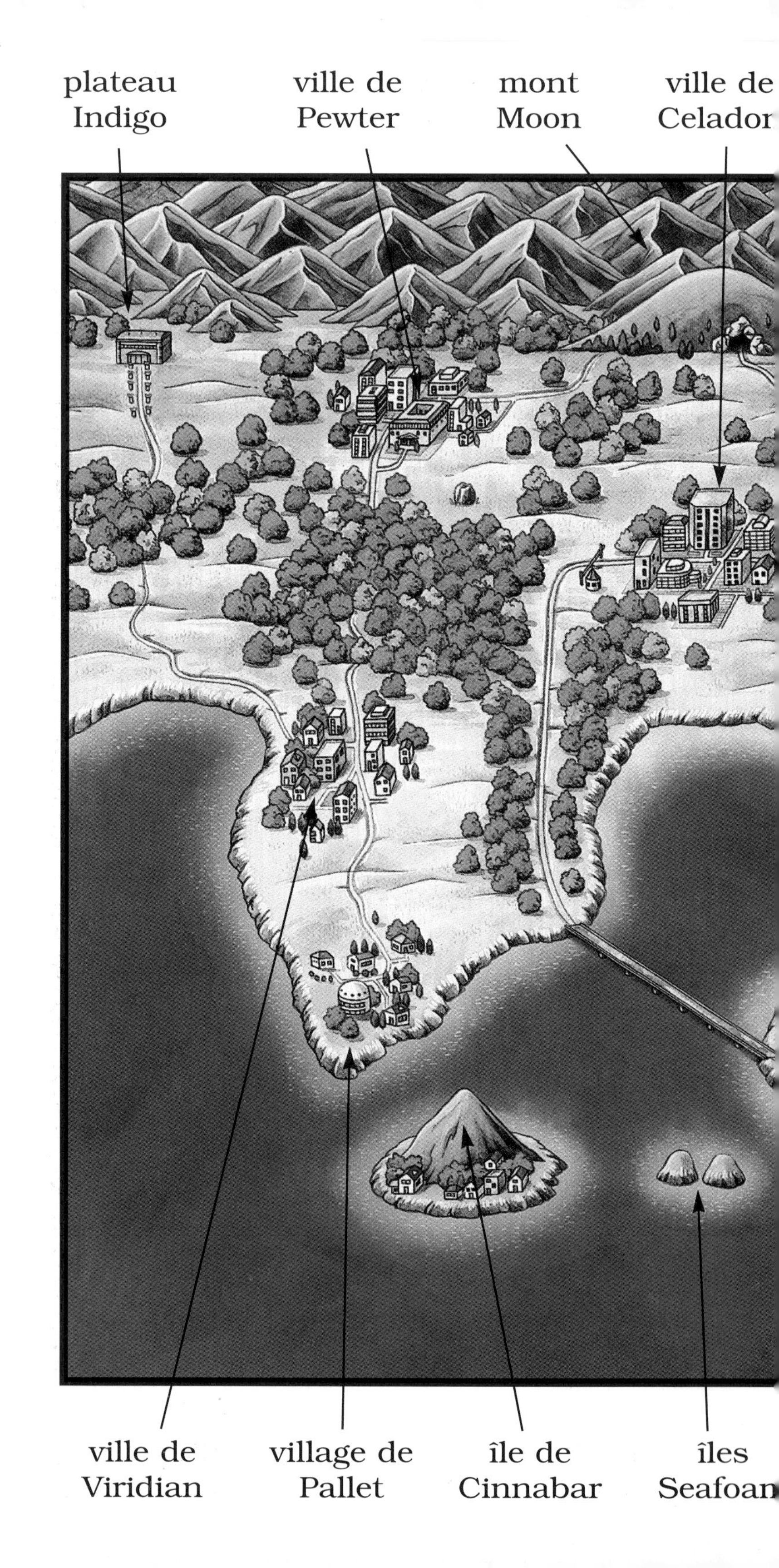
plateau Indigo
ville de Pewter
mont Moon
ville de Celador
ville de Viridian
village de Pallet
île de Cinnabar
îles Seafoan

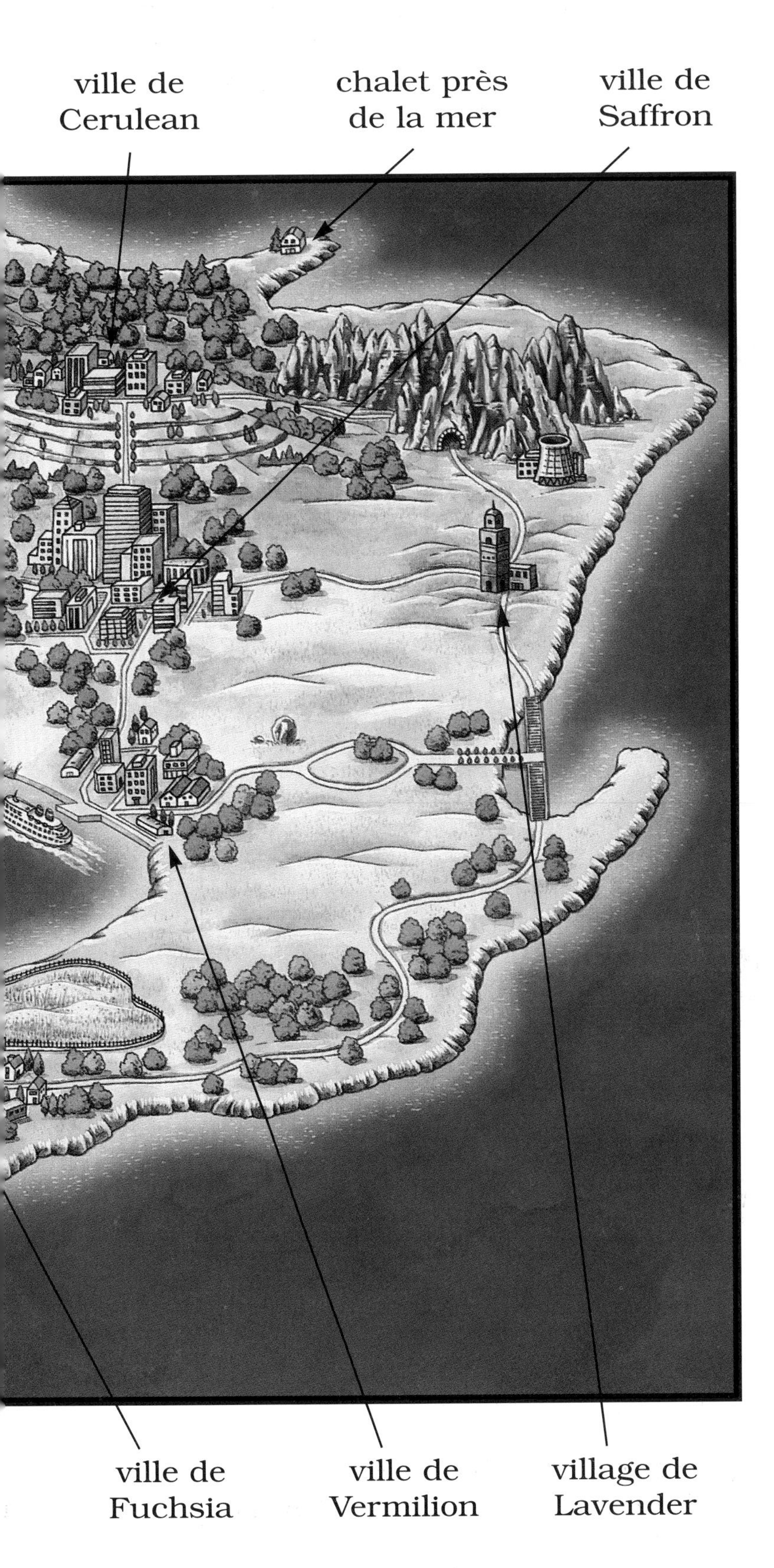
ville de
Cerulean
chalet près
de la mer
ville de
Saffron
ville de
Fuchsia
ville de
Vermilion
village de
Lavender

LES RUDIMENTS DU COMBAT

Pourquoi combattre? Pour deux raisons fondamentales. Premièrement, pour le sport. Tu peux te mesurer à un autre entraîneur dans une compétition amicale. Ce sont tes Pokémon qui se battent, mais c'est toi qui décides quel Pokémon et quelle technique ou attaque il faut utiliser. Les combats sportifs sont importants parce que tes Pokémon acquièrent une expérience précieuse, apprennent de nouvelles techniques, améliorent d'anciennes techniques et évoluent beaucoup plus rapidement vers le niveau suivant. Et puis, c'est amusant! Les Pokémon aiment jouer.

Deuxièmement, les combats servent à capturer des Pokémon sauvages, qui ne sont pas entraînés et qui n'ont pas de maître. Tu peux habituellement les trouver dans les hautes herbes, les donjons ou dans l'eau (à l'aide d'une canne à pêche) et parfois dans des parcs d'amusement comme la Zone Safari et le Comptoir de change. Le combat est l'un des principaux moyens de collectionner les Pokémon. Tu peux aussi les acheter dans certains magasins ou les échanger contre ceux de tes amis. Par contre, les Pokémon des autres entraîneurs sont inaccessibles. Tu ne peux les capturer même si tu gagnes une compétition.

Un Pokémon pour chaque situation. Chaque entraîneur peut transporter avec lui jusqu'à six Pokémon en même temps. Dans chaque nouvelle situation, tu devras décider lequel des six Pokémon il est plus avantageux pour toi de transporter. Les autres sont entreposés dans un système mémoire informatique ultra perfectionné. Si tu veux, tu peux utiliser les six Pokémon que tu transportes dans un seul combat. N'hésites pas à les remplacer en tout temps — surtout si le Pokémon en train de se battre semble se diriger vers une défaite. Si tu remportes un combat, chaque Pokémon que tu as utilisé a acquis de l'expérience.

Plus tu entraînes tes Pokémon, plus tu apprendras à choisir une équipe qui offre toutes sortes de techniques et de forces. Tu sauras aussi quel Pokémon convient le mieux à chaque combat.

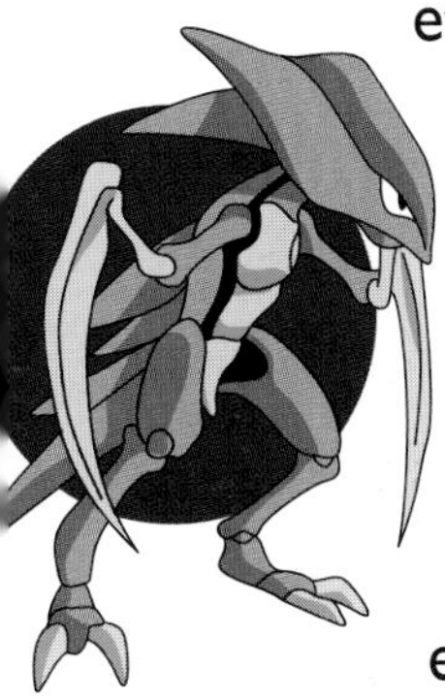

Le face à face. Dans le gym ou sur la route, d'autres entraîneurs voudront te montrer les techniques de leur Pokémon. Si un autre entraîneur veut se mesurer à toi dans un combat amical, tu dois accepter. Il est impoli de refuser.

Et ne crois pas t'en sortir facilement. Ton équipe devra affronter et, espérons-le, vaincre chacun des Pokémon de l'équipe de l'autre entraîneur. Tu remportes la victoire lorsque tes Pokémon ont vaincu tous les Pokémon de l'autre entraîneur. Un Pokémon perd le combat lorsqu'il est si faible qu'il perd conscience.

Qu'est-ce que ça te donne? En plus d'une précieuse expérience pour tes amis Pokémon, tu gagnes un prix en argent chaque fois que tu remportes une compétition. Cet argent te servira à acheter des accessoires très utiles.

La balle Poké. Pour capturer un Pokémon, tu as besoin d'une balle Poké. C'est la balle dans laquelle tu transporteras partout tes Pokémon pendant que tu les entraînes. Chaque balle ne peut renfermer qu'une seule créature; tu dois donc en avoir suffisamment à portée de la main. La plupart des Pokémon ne quittent leur balle Poké que lorsque leur maître le leur ordonne. Certains se plaignent d'être enfermés dans une balle Poké, mais seul Pikachu refusera d'y entrer.

La capture. Les Pokémon ne meurent jamais au combat. Ils deviennent de plus en plus faibles et peuvent même perdre conscience! Dans une chasse aux Pokémon, le but est de diminuer leur énergie suffisamment pour les capturer — sans qu'ils ne perdent conscience. S'il s'évanouit, un Pokémon retourne à l'état sauvage.

Une fois qu'un Pokémon sauvage est affaibli, il faut le faire entrer dans une balle Poké. Lance-lui une balle. Et n'oublie pas, il n'y a aucune garantie. Un Pokémon affaibli peut toujours ressortir d'une balle. S'il y reste enfermé, tu pourras l'entraîner et en faire un ami fidèle.

NOTE : Les Pokémon ne retrouvent pas automatiquement leur santé et leur énergie après avoir été capturés. Tu devras prendre soin de ton nouvel ami avant qu'il puisse combattre pour toi.

COMMENT UTILISER LE GUIDE

Numéro : Chaque Pokémon en a un. Si tu n'es pas certain du numéro d'un Pokémon, tu peux consulter la liste qui se trouve à la fin du guide.

Type : Il y a divers types de Pokémon de chaque élément. Par exemple, un Pokémon d'eau peut ressembler à un poisson, à une tortue ou à un canard! De quel type de Pokémon d'eau s'agit-il? Vérifie chaque type de Pokémon pour en savoir plus.

Taille et poids : Dans le présent guide, les Pokémon semblent avoir tous la même taille — mais c'est une illusion! Les Pokémon sont de formes et de tailles différentes. Certains sont tout petits, alors que d'autres sont énormes!

Techniques : Chaque Pokémon maîtrise une série d'attaques de combat, comme les éraflures et le plaquage. Ce sont les stratégies ou attaques que les Pokémon utilisent pour gagner un combat. C'est la façon dont ils se battent.

Autres techniques : Plus un Pokémon acquiert de l'expérience, plus il apprend de nouvelles techniques plus puissantes. Ces techniques sont habituellement déterminées par leur élément (p. ex., le lance-flammes d'un Pokémon de feu).
NOTE : Un Pokémon ne peut retenir que quatre techniques à la fois. À mesure qu'il en apprend de nouvelles, il peut oublier les anciennes.

Fort contre : Ton Pokémon a de bonnes chances de gagner le combat contre ces éléments — même si les deux combattants ont la même expérience. Par exemple, les Pokémon de feu font habituellement fondre les éléments de glace.

Faible contre : Ton Pokémon est sérieusement désavantagé dans un combat contre ces éléments. Il vaut mieux choisir un autre membre de ton équipe pour les combats contre ces Pokémon.

Niveau de l'évolution : Chaque Pokémon commence au niveau 1. Plus il acquiert de l'expérience, plus son niveau est élevé. Si ton Pokémon a un style d'évolution normal, il se transformera seulement à un certain niveau, qui est différent d'un Pokémon à l'autre. C'est ici que tu peux voir quel niveau ton Pokémon doit atteindre avant d'évoluer.

N°1 BULBASAU

PRONONCIATION : Comment prononcer le nom du Pokémon.

PRONONCIATION :
BUL-BA-ZORE
ÉLÉMENT :
CHAMPS/POISON
TYPE :
GRAINE
TAILLE :
70 CM
POIDS :
7 KG
TECHNIQUES :
PLAQUAGE,
GROGNEMENTS
AUTRES TECHNIQUES :
GRAINES EMPOISONNÉES
FOUET AVEC UNE LIANE,
POUDRE EMPOISONNÉE,
FEUILLE COUPANTE,
CROISSANCE,
POUDRE SOMNIFÈRE,
FAISCEAU SOLAIRE
FORT CONTRE :
POKÉMON D'EAU
FAIBLE CONTRE :
POKÉMON DE FEU,
POISON, VOLANT, DRAG
FANTÔME
ÉVOLUTION :
NORMALE
NIVEAU DE L'ÉVOLUTION
16

Dans le présent livre, chaque élément a une couleur. Par exemple, le feu est rouge, le poison, violet et le terre, brune. Cette couleur correspond à l'élément du Pokémon. Lorsqu'il y a deux couleurs, le Pokémon a deux éléments.

Élément : C'est ce qui révèle le genre de caractéristiques et de techniques de ton Pokémon. Par exemple, les éléments d'eau vivent habituellement dans des rivières, des lacs ou des océans et possèdent des techniques comme des bulles et de la pompe à eau. Les éléments peuvent aussi indiquer quel Pokémon ferait bonne figure dans un combat contre un autre élément. L'eau éteint le feu, et le feu brûle les champs. C'est comme une version améliorée de roche, papier, ciseaux.

Les traits de personnalité, les secrets, les trucs d'entraînement; enfin, tout ce que tu dois savoir à propos de ce Pokémon.

Fort et obéissant, Bulbasaur est parfait pour les entraîneurs débutants. Personne ne sait exactement si Bulbasaur et sa forme évoluée sont des plantes ou des animaux. Ce Pokémon tient des deux à la fois. Un étrange bulbe a été planté sur son dos à sa naissance. À mesure que le Pokémon grandit, le bulbe se transforme en une grosse plante feuillue. Bulbasaur est en meilleure forme que d'autres Pokémon de débutant comme Charmander et Squirtle; il est donc plus difficile à vaincre et à capturer.

Évolution : Tout comme les gens, les Pokémon changent. À mesure qu'ils apprennent et qu'ils grossissent, ils changent de forme — ils évoluent! Un Pokémon peut se transformer en une forme plus évoluée de trois façons. **Normale** signifie qu'il évolue ou qu'il a évolué en acquérant de l'expérience, en apprenant de nouvelles techniques et en passant à des niveaux plus élevés. La catégorie **pierres d'éléments** (p. ex., la pierre de lune, la pierre de tonnerre) s'applique aux Pokémon qui ne peuvent évoluer sans ces pierres. Si tu possèdes une telle pierre, tu peux l'utiliser pour faire évoluer ton Pokémon en tout temps. Les Pokémon qui ne passent au niveau suivant qu'après avoir été échangés au cours d'un autre jeu se classent dans la catégorie **échange**. Ils peuvent évoluer grâce à des techniques ou à des rythmes différents de ceux des autres Pokémon. **Aucune** signifie que ces Pokémon n'évoluent pas du tout.

Extrait du Pokédex :
À une certaine période de l'année, les Bulbasaur du monde entier se rassemblent au cours d'un festival où ils évoluent.

Extrait du Pokédex : Des faits amusants qui vous aideront à devenir un vrai maître de Pokémon.

Un moyen rapide et facile de suivre les étapes de l'évolution du Pokémon — ce qu'il était, ce qu'il est, ce qu'il sera.

N° 1 BULBASAUR

PRONONCIATION :
BUL-BA-ZORE

ÉLÉMENT :
CHAMPS/POISON

TYPE :
GRAINE

TAILLE :
70 CM

POIDS :
7 KG

TECHNIQUES :
PLAQUAGE, GROGNEMENTS

AUTRES TECHNIQUES :
GRAINES EMPOISONNÉES, FOUET AVEC UNE LIANE, POUDRE EMPOISONNÉE, FEUILLE COUPANTE, CROISSANCE, POUDRE SOMNIFÈRE, FAISCEAU SOLAIRE

FORT CONTRE :
POKÉMON D'EAU

FAIBLE CONTRE :
POKÉMON DE FEU, POISON, VOLANT, DRAGON, FANTÔME

ÉVOLUTION :
NORMALE

NIVEAU DE L'ÉVOLUTION
16

Fort et obéissant, Bulbasaur est parfait pour les entraîneurs débutants. Personne ne sait exactement si Bulbasaur et sa forme évoluée sont des plantes ou des animaux. Ce Pokémon tient des deux à la fois. Un étrange bulbe a été planté sur son dos à sa naissance. À mesure que le Pokémon grandit, le bulbe se transforme en une grosse plante feuillue. Bulbasaur est en meilleure forme que d'autres Pokémon de débutant comme Charmander et Squirtle; il est donc plus difficile à vaincre et à capturer.

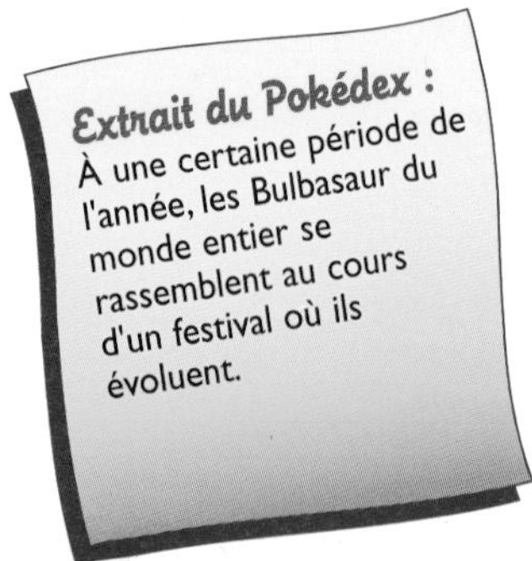

Extrait du Pokédex :
À une certaine période de l'année, les Bulbasaur du monde entier se rassemblent au cours d'un festival où ils évoluent.

Nº 2 IVYSAUR

PRONONCIATION :
I-VI-ZORE
ÉLÉMENT :
CHAMPS/POISON
TYPE :
GRAINE
TAILLE :
98 CM
POIDS :
14 KG
TECHNIQUES :
PLAQUAGE, GROGNEMENTS, GRAINES EMPOISONNÉES, FOUET AVEC UNE LIANE

AUTRES TECHNIQUES :
POUDRE EMPOISONNÉE, FEUILLE COUPANTE, CROISSANCE, POUDRE SOMNIFÈRE, FAISCEAU SOLAIRE
FORT CONTRE :
POKÉMON D'EAU
FAIBLE CONTRE :
POKEMON DE FEU, POISON, VOLANT, DRAGON, FANTÔME
ÉVOLUTION :
NORMALE
NIVEAU DE L'ÉVOLUTION :
32

Les Pokémon à deux éléments, omme Ivysaur et Venusaur (champs t poison) ont deux fois plus de orces et de faiblesses que les autres okémon. À mesure que le bulbe lanté sur le dos d'Ivysaur grossit, le okémon a de plus en plus de mal à e tenir debout sur ses pattes de errière.

º 3 VENUSAUR

RONONCIATION :
E-NU-ZORE
ÉMENT :
HAMPS/POISON
PE :
RAINE
ILLE :
M 98
IDS :
O KG
CHNIQUES :
AQUAGE, ROGNEMENTS, RAINES MPOISONNÉES, OUET AVEC UNE ANE POUDRE MPOISONNÉE, EUILLE COUPANTE

AUTRES TECHNIQUES :
CROISSANCE, POUDRE SOMNIFÈRE, FAISCEAU SOLAIRE
FORT CONTRE :
POKÉMON D'EAU
FAIBLE CONTRE :
POKÉMON DE FEU, POISON, VOLANT, DRAGON, FANTÔME
ÉVOLUTION :
NORMALE

Lorsque le bulbe a éclos en une belle fleur épanouie comme celle qui pousse sur le dos de Venusaur, la fleur absorbe l'énergie solaire. Venusaur doit donc chercher constamment la lumière du soleil. La technique des graines empoisonnées que se partagent Ivysaur et Venusaur vise à priver un ennemi de son énergie durant un combat.

Nº 4 CHARMANDER

PRONONCIATION :
CHAR-MAN-DÈRE

ÉLÉMENT :
FEU

TYPE :
LÉZARD

TAILLE :
60 CM

POIDS :
9 KG

TECHNIQUES :
ÉRAFLURES, GROGNEMENTS

AUTRES TECHNIQUES :
BRAISE, REGARD MAUVAIS, COLÈRE, COUP DE FOUET, LANCE-FLAMMES, TOURBILLON DE FEU

FORT CONTRE :
POKÉMON DES CHAMPS, DE GLACE, INSECTE

FAIBLE CONTRE :
POKÉMON DE FEU, D'EAU, ROCHER, DRAGON

ÉVOLUTION :
NORMALE

NIVEAU DE L'ÉVOLUTION :
16

Le mignon Charmander semblable à un lézard est l'un des Pokémon que le professeur Oak offre souvent aux nouveaux entraîneurs. Son pouvoir d'attaque est plus puissant que celui de Bulbasaur ou de Squirtle. Et une fois qu'il a acquis beaucoup d'expérience, il est presque imbattable — même contre les Pokémon d'eau.

Avec sa queue qui se termine par une flamme, Charmander donne du fil à retordre même aux entraîneurs qualifiés. Lorsqu'il pleut, de la vapeur jaillit de sa queue. Si la flamme finit par s'éteindre complètement, Charmander peut être mis définitivement hors de combat.

Nº 5 CHARMELEON

PRONONCIATION :
CAR-MÉ-LÉON

ÉLÉMENT :
FEU

TYPE :
LÉZARD

TAILLE :
1 M 08

POIDS :
19 KG

TECHNIQUES :
ÉRAFLURES, GROGNEMENTS, BRAISE

AUTRES TECHNIQUES :
REGARD MAUVAIS, COLÈRE, COUP DE FOUET, LANCE-FLAMMES, TOURBILLON DE FEU

FORT CONTRE :
POKÉMON DES CHAMPS, DE GLACE, INSECTE

FAIBLE CONTRE :
POKÉMON DE FEU, D'EAU, ROCHER, DRAGON

ÉVOLUTION :
NORMALE

NIVEAU DE L'ÉVOLUTION :
36

Lorsque Charmeleon remue sa queue de feu, l'air qui l'entoure devient brûlant. Grâce à sa technique du tourbillon de feu, Charmeleon peut attaquer de deux à cinq fois de suite avant que son ennemi ne puisse répliquer.

Extrait du Pokédex :
Garderie : l'école, les devoirs, les amis, les corvées... l'élevage de tes Pokémon! Tu en as plein les bras? Pour un petit montant d'argent, une gardienne spécialisée de la ville de Cerulean t'aidera à élever un Pokémon.

Nº 6 CHARIZARD

PRONONCIATION :
CA-RI-ZAR

ÉLÉMENT :
FEU/AIR

TYPE :
LÉZARD

TAILLE :
1 M 68

POIDS :
90 KG

TECHNIQUES :
ÉRAFLURES, GROGNEMENTS, BRAISE, REGARD MAUVAIS

AUTRES TECHNIQUES :
COLÈRE, COUP DE FOUET, LANCE-FLAMMES, TOURBILLON DE FEU

FORT CONTRE :
POKÉMON DES CHAMPS, DE GLACE, DE COMBAT, INSECTE

FAIBLE CONTRE :
POKÉMON DE FEU, D'EAU, ROCHER, DRAGON

ÉVOLUTION :
NORMALE

Le Charizard arrivé à pleine maturité donne des sueurs! Les flammes qu'il crache sont si brûlantes qu'elles peuvent faire fondre des rochers. Lorsque Charizard s'emporte, il peut provoquer un feu de forêt.

Extrait du Pokédex :
Les Pokémon de feu comme Charmeleon et Charizard sont forts contre les Pokémon de glace, mais non contre les Pokémon d'eau.

N° 7 SQUIRTLE

PRONONCIATION :
SQUOU-IR-TEUL
ÉLÉMENT :
EAU
TYPE :
PETITE TORTUE
TAILLE :
50 CM
POIDS :
9 KG
TECHNIQUES :
PLAQUAGE, COUP DE QUEUE
AUTRES TECHNIQUES :
BULLES, JET D'EAU, MORSURES, RETRAIT, COUP DE TÊTE, POMPE À EAU
FORT CONTRE :
POKÉMON DE FEU, DE TERRE, ROCHER
FAIBLE CONTRE :
POKÉMON D'EAU, DES CHAMPS, ÉLECTRIQUE, DRAGON
ÉVOLUTION :
NORMALE
NIVEAU DE L'ÉVOLUTION :
16

Cet adorable et gentil Pokémon tortue est l'une des surprises que te réserve le professeur Oak dans son laboratoire. C'est un excellent premier Pokémon. Certains entraîneurs trouvent qu'il est un peu plus difficile à maîtriser que Bulbasaur ou Charmander, mais ses époustouflantes techniques d'eau ne te feront pas regretter tes efforts.

Au cours d'un combat, Squirtle utilise souvent sa technique du jet d'eau : il fait jaillir une puissante mousse de sa bouche. Il a aussi recours à la technique des bulles pour ralentir un ennemi. Squirtle peut devenir un bon ami de Pikachu.

Nº 8 WARTORTLE

PRONONCIATION :
OU-AR-TOR-TEUL

ÉLÉMENT :
EAU

TYPE :
TORTUE

TAILLE :
98 CM

POIDS :
23 KG

TECHNIQUES :
PLAQUAGE, COUP DE QUEUE, BULLES

AUTRES TECHNIQUES :
JET D'EAU, MORSURES, RETRAIT, COUP DE TÊTE, POMPE À EAU

FORT CONTRE :
POKÉMON DE FEU, DE TERRE, ROCHER

FAIBLE CONTRE :
POKÉMON D'EAU, DES CHAMPS, ÉLECTRIQUE, DRAGON

ÉVOLUTION :
NORMALE

NIVEAU DE L'ÉVOLUTION :
36

Tortue plus âgée et plus expérimentée que Squirtle, Wartortle est plus habile dans l'eau. En fait, il a un faible pour les attaques furtives et se cache dans l'eau lorsqu'il chasse une proie. Les énormes oreilles de Wartortle, semblables au gouvernail d'un bateau, l'aident à garder son équilibre lorsqu'il nage rapidement.

N° 9 BLASTOISE

PRONONCIATION :
BLAS-TOISE

ÉLÉMENT :
EAU

TYPE :
COQUILLAGE

TAILLE :
1 M 58

POIDS :
85 KG

TECHNIQUES :
PLAQUAGE, COUP DE QUEUE, BULLES, JET D'EAU

AUTRES TECHNIQUES :
MORSURES, RETRAIT, COUP DE TÊTE, POMPE À EAU

FORT CONTRE :
POKÉMON DE FEU, DE TERRE, ROCHER

FAIBLE CONTRE :
POKÉMON D'EAU, DES CHAMPS, ÉLECTRIQUE, DRAGON

ÉVOLUTION :
NORMALE

Blastoise est muni d'une grosse carapace dure qui camoufle deux canons à eau très, très puissants. Il peut donc expulser des centaines de litres d'eau (qui pourraient remplir une piscine olympique) à la minute! Blastoise se sert de ses canons pour plaquer ses ennemis à la vitesse de l'éclair.

Extrait du Pokédex :
Surnoms : Tu as plus d'un Squirtle? Lorsque tu obtiens un nouveau Pokémon, tu peux lui donner un surnom. Tu peux aussi modifier le surnom d'un Pokémon dans le registre des surnoms de la ville de Lavender.

Nº 10 CATERPIE

Ce mignon petit Pokémon ressemble comme deux gouttes d'eau à une chenille. Ses courtes pattes se terminent par des ventouses qui lui permettent de grimper sur des murs et des arbres sans se fatiguer. Son jet de ficelle ralentit ses ennemis. L'évolution de ce Pokémon est très rapide. Tu peux, si tu le veux, la freiner afin de tirer profit des forces de ce Pokémon. Une fois que Caterpie s'est transformé en Metapod, il ne peut plus bouger.

PRONONCIATION :
CA-TER-PAILLE
ÉLÉMENT :
INSECTE
TYPE :
VER
TAILLE :
30 CM
POIDS :
3 KG

TECHNIQUES :
PLAQUAGE, JET DE FICELLE
AUTRES TECHNIQUES :
AUCUNE
FORT CONTRE :
POKÉMON DES CHAMPS, SURNATUREL
FAIBLE CONTRE :
POKÉMON FANTÔME, VOLANT, DE FEU, DE COMBAT
ÉVOLUTION :
NORMALE
NIVEAU DE L'ÉVOLUTION :
7

Extrait du Pokédex :
Caterpie est le tout premier Pokémon sauvage que Ash Ketchum a capturé. Il terrifiait Misty simplement à cause de son allure d'insecte.

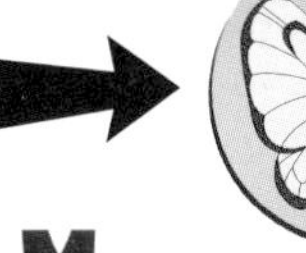

Nº 11 METAPOD

PRONONCIATION :
MÉ-TA-PODE
ÉLÉMENT :
INSECTE
TYPE :
COCON
TAILLE :
70 CM
POIDS :
10 KG
TECHNIQUES :
DURCISSEMENT

AUTRES TECHNIQUES :
AUCUNE
FORT CONTRE :
POKÉMON DES CHAMPS, SURNATUREL
FAIBLE CONTRE :
POKÉMON FANTÔME, VOLANT, DE FEU, DE COMBAT
ÉVOLUTION :
NORMALE
NIVEAU DE L'ÉVOLUTION :
10

Metapod ne reste pas sous cette forme très longtemps, mais Caterpie doit prendre la forme d'un Metapod pendant quelque temps avant de se transformer en un superbe Butterfre Tout comme une chenille dans son cocon, Metapod ne peut se déplacer. Assure-toi de protéger son corps tendre et faible contre des oiseaux ennemis comme Pidgey et Spearow. T dois être patient avec Metapod. Mais un Butterfree vaut bien l'attente!

Nº 12 BUTTERFREE

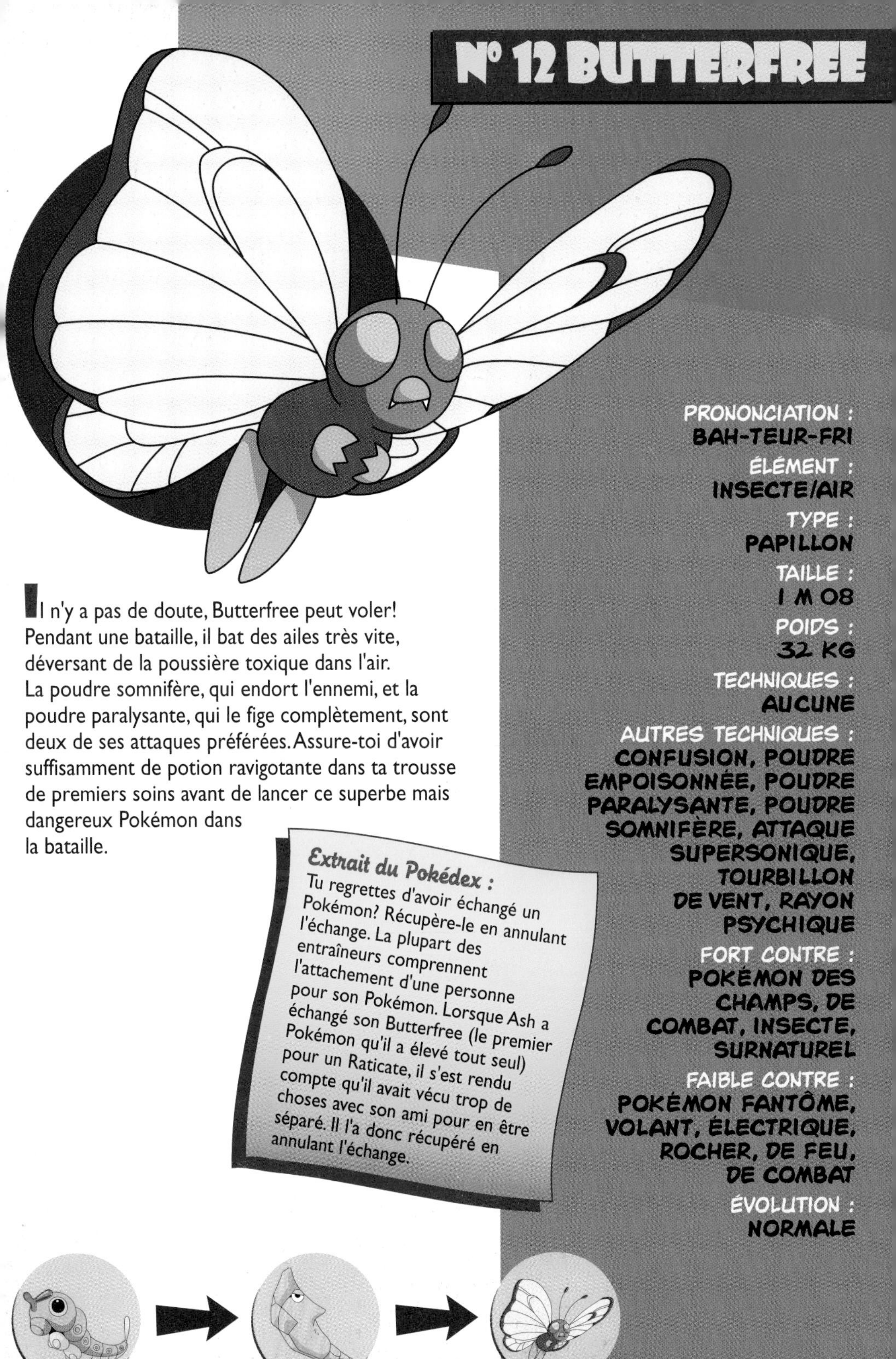

Il n'y a pas de doute, Butterfree peut voler! Pendant une bataille, il bat des ailes très vite, déversant de la poussière toxique dans l'air. La poudre somnifère, qui endort l'ennemi, et la poudre paralysante, qui le fige complètement, sont deux de ses attaques préférées. Assure-toi d'avoir suffisamment de potion ravigotante dans ta trousse de premiers soins avant de lancer ce superbe mais dangereux Pokémon dans la bataille.

Extrait du Pokédex :
Tu regrettes d'avoir échangé un Pokémon? Récupère-le en annulant l'échange. La plupart des entraîneurs comprennent l'attachement d'une personne pour son Pokémon. Lorsque Ash a échangé son Butterfree (le premier Pokémon qu'il a élevé tout seul) pour un Raticate, il s'est rendu compte qu'il avait vécu trop de choses avec son ami pour en être séparé. Il l'a donc récupéré en annulant l'échange.

PRONONCIATION :
BAH-TEUR-FRI

ÉLÉMENT :
INSECTE/AIR

TYPE :
PAPILLON

TAILLE :
1 M 08

POIDS :
32 KG

TECHNIQUES :
AUCUNE

AUTRES TECHNIQUES :
CONFUSION, POUDRE EMPOISONNÉE, POUDRE PARALYSANTE, POUDRE SOMNIFÈRE, ATTAQUE SUPERSONIQUE, TOURBILLON DE VENT, RAYON PSYCHIQUE

FORT CONTRE :
POKÉMON DES CHAMPS, DE COMBAT, INSECTE, SURNATUREL

FAIBLE CONTRE :
POKÉMON FANTÔME, VOLANT, ÉLECTRIQUE, ROCHER, DE FEU, DE COMBAT

ÉVOLUTION :
NORMALE

Nº 13 WEEDLE

PRONONCIATION :
OUI-DUL

ÉLÉMENT :
INSECTE/POISON

TYPE :
INSECTE POILU

TAILLE :
30 CM

POIDS :
3 KG

TECHNIQUES :
PIQÛRES EMPOISONNÉES, JET DE FICELLE

AUTRES TECHNIQUES :
AUCUNE

FORT CONTRE :
POKÉMON VOLANT, SURNATUREL, INSECTE, DES CHAMPS

FAIBLE CONTRE :
POKÉMON FANTÔME, VOLANT, POISON, ROCHER, DE COMBAT, DE FEU, DE TERRE

ÉVOLUTION :
NORMALE

NIVEAU DE L'ÉVOLUTION :
7

On trouve habituellement les Weedle, qui se nourrissent de feuilles, dans les forêts. Les Weedle n'ont que deux techniques, mais elles sont très puissantes. Comme dans le cas de Caterpie, son jet de ficelle ralentit ses ennemis, et le dard pointu planté sur sa tête est venimeux. Tu dois donc être prudent si tu choisis un Weedle comme animal de compagnie.

Nº 14 KAKUNA

PRONONCIATION :
KA-KOU-NA

ÉLÉMENT :
INSECTE/POISON

TYPE :
COCON

TAILLE :
60 CM

POIDS :
10 KG

TECHNIQUES :
DURCISSEMENT

AUTRES TECHNIQUES :
AUCUNE

FORT CONTRE :
POKÉMON SURNATUREL, INSECTE, DES CHAMPS

FAIBLE CONTRE :
POKÉMON FANTÔME, VOLANT, POISON, ROCHER, DE COMBAT, DE FEU, DE TERRE

ÉVOLUTION :
NORMALE

NIVEAU DE L'ÉVOLUTION :
10

Tout comme Metapod, Kakuna es une sorte d'enveloppe semblable a cocon qui renferme la chenille avan qu'elle ne se transforme en papillo Comme il ne peut se déplacer, Kak est incapable d'attaquer. Son seul moyen de défense consiste à durci son enveloppe protectrice. Tu devr prendre bien soin de Kakuna pend cette étape de son évolution. Mais t'inquiète pas, Kakuna deviendra tr vite un Beedrill!

Nº 15 BEEDRILL

PRONONCIATION :
BI-DRIL

ÉLÉMENT :
INSECTE/POISON

TYPE :
ABEILLE VENIMEUSE

TAILLE :
98 CM

POIDS :
30 KG

TECHNIQUES :
AUCUNE

AUTRES TECHNIQUES :
ATTAQUE VIOLENTE, ÉNERGIE CONCENTRÉE, DOUBLE DARD, COLÈRE, BOMBARDEMENT D'ÉPINGLES, AGILITÉ

FORT CONTRE :
POKÉMON SURNATUREL, INSECTE, DES CHAMPS

FAIBLE CONTRE :
POKÉMON FANTÔME, VOLANT, POISON, ROCHER, DE COMBAT, DE FEU, DE TERRE

ÉVOLUTION :
NORMALE

Son évolution a été laborieuse, mais depuis son éclosion, Beedrill est très puissant. Il est incroyablement rapide. Il se sert des longs dards venimeux qui terminent sa queue et ses pattes avant pour attaquer. Avec l'expérience, Beedrill pourra apprendre des techniques comme le double dard et le bombardement d'épingles pour augmenter le nombre d'attaques qu'il peut lancer les unes après les autres. Ouille! Attention aux dards de Beedrill!

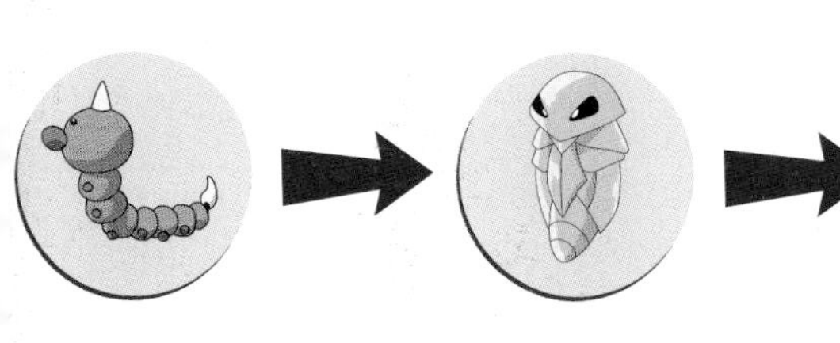

N° 16 PIDGEY

PRONONCIATION :
PID-JÉ
ÉLÉMENT :
NORMAL/AIR
TYPE :
PETIT OISEAU
TAILLE :
30 CM
POIDS :
2 KG
TECHNIQUES :
BOURRASQUE
AUTRES TECHNIQUES :
ATTAQUE RAPIDE,
ATTAQUE DE SABLE,
JETS DE SABLE,
TOURBILLON DE VENT,
ATTAQUE AILÉE,
AGILITÉ, IMITATION
FORT CONTRE :
POKÉMON INSECTE,
DES CHAMPS,
DE COMBAT
FAIBLE CONTRE :
POKÉMON ROCHER,
ÉLECTRIQUE
ÉVOLUTION :
NORMALE
NIVEAU DE L'ÉVOLUTION :
18

Les Pidgey abondent dans les bois et les forêts. C'est aussi l'oiseau le plus doux et le plus facile à capturer. Lorsqu'il est sur le sol, Pidgey bat des ailes très rapidement, projetant du sable et de la poussière afin d'aveugler ses opposants. Ses bourrasques peuvent créer des tornades. Les entraîneurs débutants peuvent mettre à l'épreuve leurs techniques de combat en capturant un Pidgey.

Nº 17 PIDGEOTTO

PRONONCIATION :
PID-GÉ-O-TO
ÉLÉMENT :
NORMAL/AIR
TYPE :
OISEAU
TAILLE :
1 M 08
POIDS :
30 KG
TECHNIQUES :
BOURRASQUE, JET DE SABLE, ATTAQUE RAPIDE

AUTRES TECHNIQUES :
TOURBILLON DE VENT, ATTAQUE AILÉE, AGILITÉ, IMITATION
FORT CONTRE :
POKÉMON INSECTE, DES CHAMPS, DE COMBAT
FAIBLE CONTRE :
POKÉMON ROCHER, ÉLECTRIQUE
ÉVOLUTION :
NORMALE
NIVEAU DE L'ÉVOLUTION :
36

Contrairement à son gentil cousin, Pidgeotto protège férocement son erritoire et donnera de furieux coups de bec ou de mâchoires à n'importe quel intrus. Sa technique des bourrasques lui permet de balayer tout ce qui se trouve sur son passage.

° 18 PIDGEOT

RONONCIATION :
ID-GÉ-OTTE
ÉMENT :
ORMAL/AIR
YPE :
ISEAU
AILLE :
M 48
OIDS :
9 KG
ECHNIQUES :
OURRASQUE, ET DE SABLE, TTAQUE RAPIDE, OURBILLON E VENT, TTAQUE AILÉE

AUTRES TECHNIQUES :
AGILITÉ, IMITATION
FORT CONTRE :
POKÉMON INSECTE, DES CHAMPS, DE COMBAT
FAIBLE CONTRE :
POKÉMON ROCHER, ÉLECTRIQUE
ÉVOLUTION :
NORMALE

La vitesse et la précision de Pidgeotto sont décuplées lorsqu'il se transforme en Pidgeot. Ce Pokémon peut voler plus vite que le son à 3 000 mètres d'altitude. Lorsqu'il chasse, Pidgeot survole la surface de l'eau à toute allure pour capturer d'imprudents Pokémon poissons comme Magikarp.

Nº 19 RATTATA

PRONONCIATION :
RA-TA-TA

ÉLÉMENT :
NORMAL

TYPE :
RAT

TAILLE :
30 CM

POIDS :
4 KG

TECHNIQUES :
PLAQUAGE,
COUP DE QUEUE

AUTRES TECHNIQUES :
ATTAQUE RAPIDE,
HYPER MORSURES
ÉNERGIE CONCENTRÉE,
SUPER MORSURES

FORT CONTRE :
AUCUN POKÉMON

FAIBLE CONTRE :
POKÉMON ROCHER

ÉVOLUTION :
NORMALE

NIVEAU DE L'ÉVOLUTION :
20

Les Rattata sont très communs. Armés de dents pointues, ils peuvent mordre n'importe quel ennemi. Ils sont petits et très agiles. Étonnamment, les Rattata s'entendent bien avec les Pidgey.

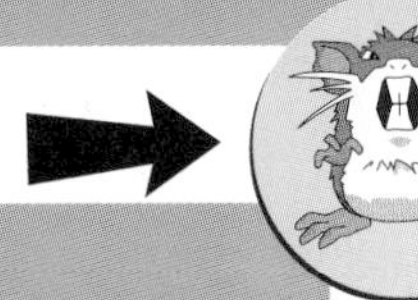

Nº 20 RATICATE

PRONONCIATION :
RA-TI-CA-TE

ÉLÉMENT :
NORMAL

TYPE :
RAT

TAILLE :
70 CM

POIDS :
19 KG

TECHNIQUES :
PLAQUAGE,
COUP DE QUEUE,
ATTAQUE RAPIDE

AUTRES TECHNIQUES :
HYPER MORSURES,
ÉNERGIE CONCENTRÉE,
SUPER MORSURES

FORT CONTRE :
AUCUN POKÉMON

FAIBLE CONTRE :
POKÉMON ROCHER

ÉVOLUTION :
NORMALE

Le Raticate se sert de ses moustaches pour se guider et pour se maintenir en équilibre. Sans elles, il est très lent. La technique de l'hyper morsure que se partagent Rattata et Raticate terrifie tellement leurs ennemis qu'ils ont peur d'attaquer de nouveau.

Nº 21 SPEAROW

PRONONCIATION :
SPI-RO

ÉLÉMENT :
NORMAL/AIR

TYPE :
PETIT OISEAU

TAILLE :
30 CM

POIDS :
2 KG

TECHNIQUES :
COUP DE BEC, GROGNEMENTS

AUTRES TECHNIQUES :
REGARD MAUVAIS, ATTAQUE VIOLENTE, IMITATION, COUP DE BEC EN VRILLE, AGILITÉ

FORT CONTRE :
POKÉMON INSECTE, DES CHAMPS, DE COMBAT

FAIBLE CONTRE :
POKÉMON ROCHER, ÉLECTRIQUE

ÉVOLUTION :
NORMALE

NIVEAU DE L'ÉVOLUTION :
20

Il ne faut pas te fier à la taille de pearow. Ce petit oiseau a un empérament féroce. Sa technique u cri perçant diminue les défenses e ses ennemis. Mais Spearow doit attre des ailes très vite pour se aintenir dans les airs.

° 22 FEAROW

RONONCIATION :
I-RO

LÉMENT :
ORMAL/AIR

YPE :
EC

AILLE :
M 18

OIDS :
8 KG

ECHNIQUES :
OUP DE BEC, ROGNEMENTS, EGARD MAUVAIS, TTAQUE VIOLENTE

AUTRES TECHNIQUES :
IMITATION, COUP DE BEC EN VRILLE, AGILITÉ

FORT CONTRE :
POKÉMON INSECTE, DES CHAMPS, DE COMBAT

FAIBLE CONTRE :
POKÉMON ROCHER, ÉLECTRIQUE

ÉVOLUTION
NORMALE

Contrairement à Spearow, Fearow est muni de grandes ailes majestueuses. Il peut voler dans les airs pendant longtemps sans sentir le besoin de se reposer. Lorsqu'il a acquis beaucoup d'expérience, il peut utiliser sa technique d'imitation pour reproduire l'attaque d'un ennemi.

Nº 23 EKANS

Il vaut mieux ne pas garder Ekans trop près de la maison, surtout si tu as de jeunes frères et sœurs. Ce rusé combattant est aussi l'un des Pokémon que Team Rocket adore envoyer au combat.

PRONONCIATION :
É-CANSE
ÉLÉMENT :
POISON
TYPE :
SERPENT
TAILLE :
1 M 98
POIDS :
7 KG
TECHNIQUES :
ÉTOUFFEMENT, REGARD MAUVAIS
AUTRES TECHNIQUES :
DARD EMPOISONNÉ, PIQÛRES EMPOISONNÉES, MORSURES, ÉBLOUISSEMENT, CRI PERÇANT, ACI
FORT CONTRE :
POKÉMON DES CHAMPS, INSECTE
FAIBLE CONTRE :
POKÉMON FANTÔM ROCHER, POISON, DE TERRE
ÉVOLUTION :
NORMALE
NIVEAU DE L'ÉVOLUTION :
22

Extrait du Pokédex :
Savais-tu que le mot Arbok fait kobra (cobra) lorsqu'il est épelé à l'envers?

Nº 24 ARBOK

Arbok est encore plus terrifiant. O dit que les marques d'avertissement inscrites sur son ventre varient selo la partie de son corps. S'il l'utilise avec succès, sa technique de l'éblouissement paralyse un ennemi. Le cri perçant d'Arbok fait tomber les défenses de ses ennemis.

PRONONCIATION :
AR-BOC
ÉLÉMENT :
POISON
TYPE :
COBRA
TAILLE :
3 M 45
POIDS :
65 KG
TECHNIQUES :
ÉTOUFFEMENT, REGARD MAUVAIS, PIQÛRES EMPOISONNÉES
AUTRES TECHNIQUES :
MORSURES, ÉBLOUISSEMENT, CRI PERÇANT, ACIDE
FORT CONTRE :
POKÉMON INSECTE, DES CHAMPS
FAIBLE CONTRE :
POKÉMON POISON, FANTÔME, ROCHER, DE TERRE
ÉVOLUTION :
NORMALE

N° 25 PIKACHU

Extrait du Pokédex :
Des étincelles jaillissent des joues de ton Pikachu? Alors, c'est probablement que ton petit rongeur électrique couve une grippe. Il est peut-être surchargé. Fais participer ton Pikachu à un combat amical afin qu'il puisse éliminer son trop-plein d'énergie, et il sera comme neuf.

PRONONCIATION :
PI-CA-CHOU

ÉLÉMENT :
ÉLECTRIQUE

TYPE :
SOURIS

TAILLE :
40 CM

POIDS :
6 KG

TECHNIQUES :
COUP DE TONNERRE, GROGNEMENTS

AUTRES TECHNIQUES :
ONDE DE CHOC, ATTAQUE RAPIDE, VIVACITÉ, AGILITÉ, TONNERRE

FORT CONTRE :
POKÉMON VOLANT, D'EAU

FAIBLE CONTRE :
POKÉMON ÉLECTRIQUE, DRAGON, DES CHAMPS

ÉVOLUTION :
PIERRE DE TONNERRE

Pika-pika-pika-chu! Cette adorable petite souris-éclair est de loin le Pokémon le plus connu. En fait, Team Rocket tente par tous les moyens de capturer ce Pokémon rare. Pikachu peut foudroyer un opposant à l'aide de son pouvoir électrique, simplement en se pinçant les joues. Mais tu dois veiller à ne pas garder trop de Pikachu au même endroit. Ils dégagent tant d'électricité qu'ils peuvent provoquer des orages et des pannes de courant dans les villes voisines!

Timides et d'humeur changeante, les Pikachu peuvent mettre du temps à s'habituer à un nouvel entraîneur. Sois patient et soigne bien ton Pikachu, et bientôt, vous serez les meilleurs amis du monde. Mais rappelle-toi que les Pikachu détestent être à l'intérieur d'une balle Poké. Comme cela les effraie, sois gentil et compréhensif. Si tu provoques la colère d'un Pikachu, il te désobéira. Ce Pokémon peut devenir l'excellent ami d'un Charmander et d'un Squirtle.

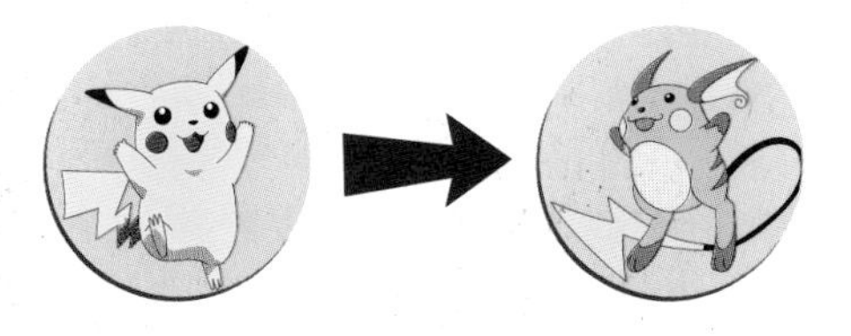

Nº 26 RAICHU

PRONONCIATION :
RA-I-CHOU

ÉLÉMENT :
ÉLECTRIQUE

TYPE :
SOURIS

TAILLE :
78 CM

POIDS :
30 KG

TECHNIQUES :
COUP DE TONNERRE, GROGNEMENTS, ONDES DE CHOC

AUTRES TECHNIQUES :
AUCUNE

FORT CONTRE :
POKÉMON VOLANT, D'EAU

FAIBLE CONTRE :
POKÉMON ÉLECTRIQUE, DRAGON, DES CHAMPS

ÉVOLUTION :
NORMALE

Le petit corps de Raichu contient tant de puissance électrique que ce Pokémon doit se servir de sa queue comme d'une prise de terre pour éviter de s'électrocuter lui-même!
Sa technique de l'onde de choc de 10 000 V paralyse complètement ses ennemis.

Extrait du Pokédex :
Parfois, les Pikachu aiment tellement leur personnalité qu'ils refusent de se transformer en Raichu.

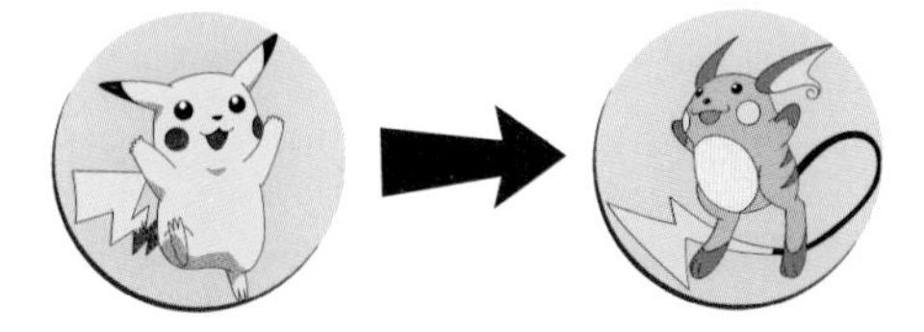

N° 27 SANDSHREW

PRONONCIATION :
SAND-CHROU

ÉLÉMENT :
TERRE

TYPE :
SOURIS

TAILLE :
60 CM

POIDS :
12 KG

TECHNIQUES :
ÉRAFLURES

AUTRES TECHNIQUES :
COUP DE FOUET, PIQÛRES EMPOISONNÉES, VIVACITÉ, CLAQUE VIOLENTE, JET DE SABLE

FORT CONTRE :
POKÉMON ÉLECTRIQUE, POISON, ROCHER, DE FEU

FAIBLE CONTRE :
POKÉMON INSECTE, DES CHAMPS

ÉVOLUTION :
NORMALE

NIVEAU DE L'ÉVOLUTION :
22

Sandshrew creuse des trous profonds dans la terre, dans des endroits chauds et secs. Lorsqu'il utilise son attaque de jet de sable, ses ennemis peuvent difficilement répliquer. Sandshrew peut devenir un excellent animal de compagnie si tu habites près d'un désert, mais il est difficile à entraîner parce qu'il ne mange pas n'importe quoi (il est très difficile).

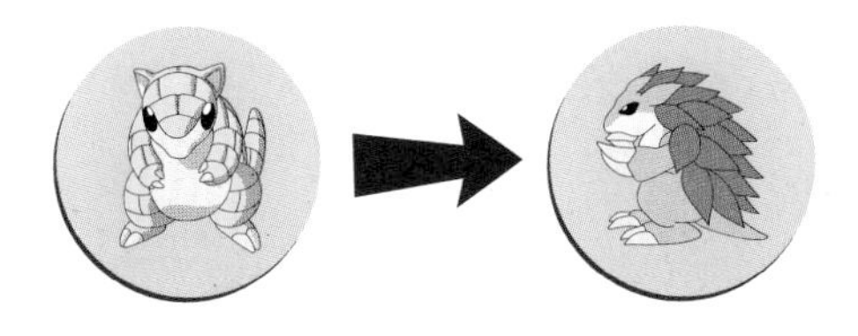

Nº 28 SANDSLASH

PRONONCIATION :
SAND-SLA-CHE

ÉLÉMENT :
TERRE

TYPE :
SOURIS

TAILLE :
98 CM

POIDS :
30 KG

TECHNIQUES :
ÉRAFLURES, JET DE SABLE, COUP DE FOUET

AUTRES TECHNIQUES :
PIQÛRES EMPOISONNÉES, VIVACITÉ, CLAQUES VIOLENTES

FORT CONTRE :
POKÉMON ÉLECTRIQUE, POISON, ROCHER, DE FEU

FAIBLE CONTRE :
POKÉMON INSECTE, DES CHAMPS

ÉVOLUTION :
NORMALE

Lorsqu'il est menacé, Sandslash se recroqueville en forme de boule, tout comme un hérisson. Les épines plantées sur son dos le protègent de ses prédateurs. Il peut rouler sur le sol pour attaquer, s'évader ou chercher de la nourriture. Grâce à sa technique de claques violentes, Sandslash peut attaquer de quatre à cinq fois de suite. Fais attention de ne pas laisser ce Pokémon à un endroit où quelqu'un pourrait marcher dessus. Aïe!

Extrait du Pokédex :
Même si la plupart des Pokémon comprennent les gens, chaque espèce parle sa propre langue. Les mots sont formés des noms des Pokémon. Dans le dessin animé, Meowth est le seul Pokémon qui peut parler une langue des êtres humains.

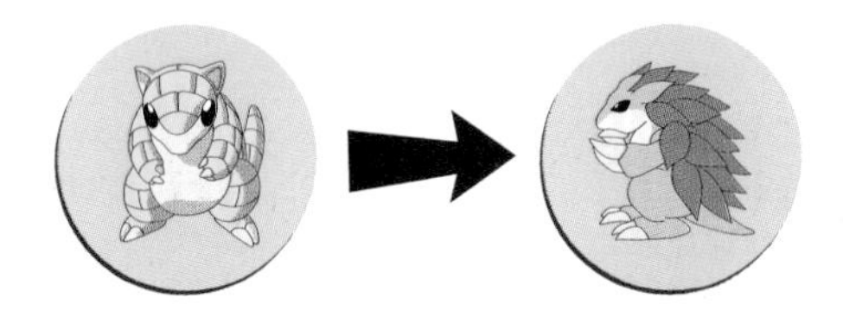

Nº 29 NIDORAN ♀

PRONONCIATION :
NI-DO-RANNE

ÉLÉMENT :
POISON

TYPE :
AIGUILLON EMPOISONNÉ

TAILLE :
40 CM

POIDS :
7 KG

TECHNIQUES :
GROGNEMENTS, PLAQUAGE

AUTRES TECHNIQUES :
ÉRAFLURES, PIQÛRES EMPOISONNÉES, COUP DE QUEUE, MORSURES, CLAQUES VIOLENTES, DOUBLE RUADE

FORT CONTRE :
POKÉMON INSECTE, DES CHAMPS

FAIBLE CONTRE :
POKÉMON POISON, ROCHER, FANTÔME, DE TERRE

ÉVOLUTION :
NORMALE

NIVEAU DE L'ÉVOLUTION :
16

Avec ses petites moustaches empoisonnées, Nidoran, un Pokémon femelle, est très dangereuse. Ses cornes sont plus petites que les pointes d'un Nidoran mâle, mais elles sont tout aussi puissantes.

Extrait du Pokédex :
Service communautaire :
Bénévole au refuge des Pokémon abandonnés de M. Fudji, à Lavender. Adopte un Pokémon qui n'a pas d'entraîneur.

Nº 30 NIDORINA

PRONONCIATION :
NI-DO-RI-NA

ÉLÉMENT :
POISON

TYPE :
AIGUILLON EMPOISONNÉ

TAILLE :
78 CM

POIDS :
20 KG

TECHNIQUES :
GROGNEMENTS, PLAQUAGE, ÉRAFLURES

AUTRES TECHNIQUES :
PIQÛRES EMPOISONNÉES, COUP DE QUEUE, MORSURES, CLAQUE VIOLENT DOUBLE RUADE

FORT CONTRE :
POKÉMON INSECT DES CHAMPS

FAIBLE CONTRE :
POKÉMON POISO ROCHER, FANTÔM DE TERRE

ÉVOLUTION :
PIERRE DE LUNE

Une Nidorina n'évolue pas en acquérant plus d'expérience. Tu dois utiliser une pierre de lune pour la transformer en Nidoqueen. Parce que ses cornes poussent lentement, elle préfère se servir de ses dents et de ses mâchoires au combat.

Nº 31 NIDOQUEEN

PRONONCIATION :
NI-DO-COUI-NE

ÉLÉMENT :
POISON/TERRE

TYPE :
FOREUR

TAILLE :
1 M 28

POIDS :
60 KG

TECHNIQUES :
PLAQUAGE, ÉRAFLURES, COUP DE QUEUE

AUTRES TECHNIQUES :
PIQÛRES EMPOISONNÉES, COUP AVEC LE CORPS

FORT CONTRE :
POKÉMON ÉLECTRIQUE, DE FEU

FAIBLE CONTRE :
POKÉMON FANTÔME, DE TERRE

ÉVOLUTION :
PIERRE DE LUNE

Nidoqueen, par contre, préfère utiliser sa queue lourde mais puissante. Elle aime se servir de son corps massif lorsqu'elle a recours à des attaques puissantes comme les coups avec le corps. Les dures écailles de Nidoqueen lui assurent une excellente protection.

N° 32 NIDORAN ♂

PRONONCIATION :
NI-DO-RAN

ÉLÉMENT :
POISON

TYPE :
AIGUILLON EMPOISONNÉ

TAILLE :
50 CM

POIDS :
9 KG

TECHNIQUES :
REGARD MAUVAIS, PLAQUAGE

AUTRES TECHNIQUES :
COUP DE CORNE PIQÛRES EMPOISONNÉES, ÉNERGIE CONCENTRÉE, ATTAQUE VIOLENTE, FORAGE AVEC LA CORNE, DOUBLE RUADE

FORT CONTRE :
POKÉMON INSECTE, DES CHAMPS

FAIBLE CONTRE :
POKÉMON POISON, ROCHER, FANTÔME, DE TERRE

ÉVOLUTION :
NORMALE

NIVEAU DE L'ÉVOLUTION :
16

Les oreilles du Nidoran mâle se raidissent au moindre signe de danger. Les épines de sa tête contiennent un violent poison.

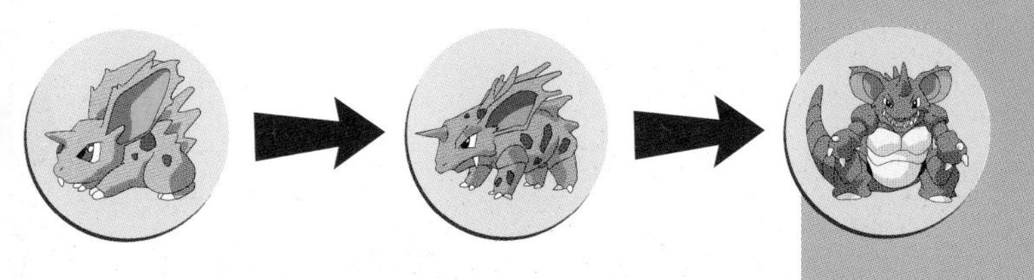

N° 33 NIDORINO

PRONONCIATION :
NI-DO-RI-NO

ÉLÉMENT :
POISON

TYPE :
AIGUILLON EMPOISONNÉ

TAILLE :
58 CM

POIDS :
19 KG

TECHNIQUES :
REGARD MAUVAIS, PLAQUAGE, COUP DE CORNE

AUTRES TECHNIQUES
PIQÛRES EMPOISONNÉES, ÉNERGIE CONCENTRÉE, ATTAQUE VIOLENTE FORAGE AVEC LA CORNE, DOUBLE RUADE

FORT CONTRE :
POKÉMON INSECTE DES CHAMPS

FAIBLE CONTRE :
POKÉMON POISON, ROCHER, FANTÔME DE TERRE

ÉVOLUTION :
PIERRE DE LUNE

La corne plantée sur la tête de Nidorino contient un poison puissant. À un niveau d'expérience élevé, la technique de forage avec la corne de ce Pokémon lui permet de vaincre un ennemi en quelques secondes. Ne le laisse pas près des petits enfants et des animaux.

Extrait du Pokédex :
Au combat, Nidorino a souvent recours à la technique de l'énergie concentrée pour augmenter son pouvoir avant d'attaquer. Profite de cette pause pour attaquer avant qu'il ne fonce sur ton Pokémon.

N° 34 NIDOKING

PRONONCIATION :
NI-DO-KING

ÉLÉMENT :
POISON/TERRE

TYPE :
FOREUR

TAILLE :
1 M 38

POIDS :
63 KG

TECHNIQUES :
PLAQUAGE, COUP DE CORNE, PIQÛRES EMPOISONNÉES

AUTRES TECHNIQUES :
COUP VIOLENT

FORT CONTRE :
POKÉMON ÉLECTRIQUE, DE FEU

FAIBLE CONTRE :
POKÉMON FANTÔME, DE TERRE

ÉVOLUTION :
PIERRE DE LUNE

Nidoking est un féroce guerrier. Il enroule sa puissante queue autour de sa proie et lui broie les os.

Nº 35 CLEFAIRY

PRONONCIATION :
CLÉ-FÈ-RI
ÉLÉMENT :
NORMAL
TYPE :
FÉE
TAILLE :
60 CM
POIDS :
8 KG
TECHNIQUES :
COUPS RÉPÉTÉS, GROGNEMENTS
AUTRES TECHNIQUES :
CHANSON, DOUBLE CLAQUE, RÉDUCTION, MÉTRONOME, REPLI DÉFENSIF, ÉCRAN DE LUMIÈRE
FORT CONTRE :
AUCUN POKÉMON
FAIBLE CONTRE :
POKÉMON ROCHER
ÉVOLUTION :
PIERRE DE LUNE

On admire beaucoup ce Pokémon amical et paisible pour ses pouvoirs magiques. Tu devras par contre faire de longues recherches avant de le trouver. Il est très rare. Sa technique unique du métronome lui permet d'attaquer de toutes sortes de façons. Certains croient que les Clefairy ont formé leur propre société à l'intérieur du mont Moon, où ils prient la pierre de lune. Selon la légende, cette pierre est tombée de la lune il y a des centaines d'années.

Extrait du Pokédex :
On a besoin de certaines pierres d'éléments, comme les pierres de feu, d'eau, de feuille, de tonnerre et de lune pour faire évoluer certains Pokémon. On peut les trouver dans des donjons ou au grand magasin de Celadon. La pierre de lune est la plus rare. Mais savais-tu qu'il n'y a pas assez de pierres d'éléments pour les 17 espèces de Pokémon qui en ont besoin pour évoluer? Ces pierres spéciales sont très difficile à obtenir, alors utilise-les avec sagesse.

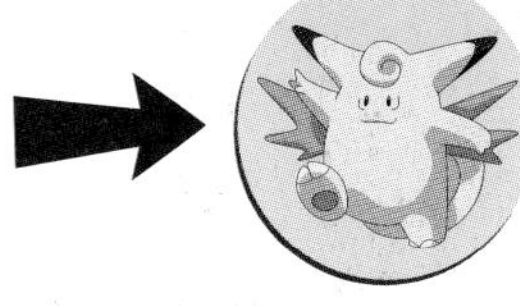

N°36 CLEFABLE

PRONONCIATION :
CLÉ-FA-BLE

ÉLÉMENT :
NORMAL

TYPE :
FÉE

TAILLE :
1 M 28

POIDS :
40 KG

TECHNIQUES :
CHANSON, DOUBLE CLAQUE, RÉDUCTION, MÉTRONOME

AUTRES TECHNIQUES :
AUCUNE

FORT CONTRE :
AUCUN POKÉMON

FAIBLE CONTRE :
POKÉMON ROCHER

ÉVOLUTION :
PIERRE DE LUNE

Clefable est l'un des Pokémon les plus rares du monde. Pour transformer un Clefairy en un Clefable, tu dois posséder une pierre de lune. Un Clefable ne peut apprendre de nouvelles techniques sans outils spéciaux. Tu devras donc veiller à ce que ton Clefairy connaisse toutes sortes de techniques avant de le faire évoluer. Clefable est un Pokémon féerique très timide qu'on aperçoit rarement. Il court se cacher à la seconde même où il voit des gens. Tu devras être extrêmement gentil avec lui et lui donner beaucoup d'affection pour gagner sa confiance.

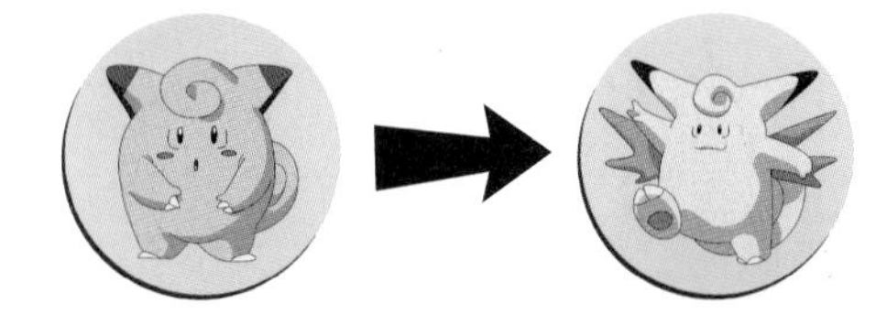

Nº 37 VULPIX

PRONONCIATION :
VUL-PIC-SE
ÉLÉMENT :
FEU
TYPE :
RENARD
TAILLE :
60 CM
POIDS :
10 KG
TECHNIQUES :
BRAISE,
COUP DE QUEUE
AUTRES TECHNIQUES :
ATTAQUE RAPIDE,
RUGISSEMENTS,
RAYON DE CONFUSION,
LANCE-FLAMMES,
TOURBILON DE FEU
FORT CONTRE :
POKÉMON INSECTE,
DES CHAMPS, DE GLACE
FAIBLE CONTRE :
POKÉMON ROCHER,
DRAGON, DE FEU, D'EAU
ÉVOLUTION :
PIERRE DE FEU

La jolie apparence de Vulpix, un Pokémon de feu extrêmement rare, camoufle une force intérieure. À mesure qu'il grossit, le bout de sa queue se sépare. Vulpix aime confondre ses ennemis avant d'utiliser les flammes puissantes de sa technique du tourbillon de feu pour empêcher un opposant de se déplacer.

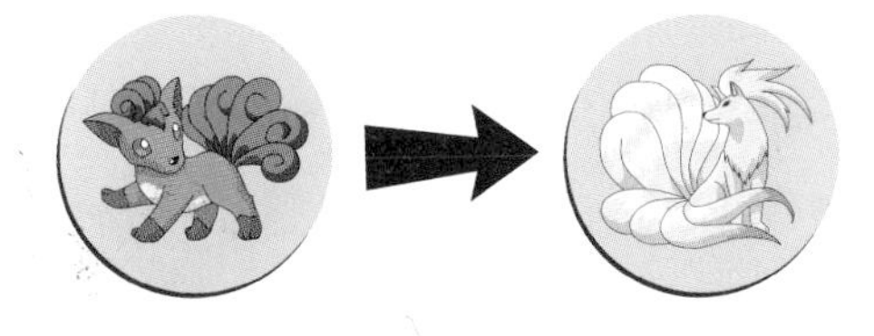

Nº 38 NINETALES

PRONONCIATION :
NAÏN-TÉLZ

ÉLÉMENT :
FEU

TYPE :
RENARD

TAILLE :
1 M 08

POIDS :
20 KG

TECHNIQUES :
**BRAISE,
COUP DE QUEUE,
ATTAQUE RAPIDE,
RUGISSEMENTS**

AUTRES TECHNIQUES :
AUCUNE

FORT CONTRE :
**POKÉMON INSECTE,
DES CHAMPS, DE GLACE**

FAIBLE CONTRE :
**POKÉMON ROCHER,
DRAGON, DE FEU, D'EAU**

ÉVOLUTION :
PIERRE DE FEU

Le seul moyen d'ajouter un Ninetails à ton équipe de Pokémon est d'élever soigneusement un Vulpix, puis d'utiliser une pierre de feu pour le faire évoluer. Ninetails est un Pokémon très intelligent qui aime compléter des revanches contre ses ennemis. Si tu attrapes l'une de ses queues, Ninetails pourrait te jeter un sort qui durera 1 000 ans!

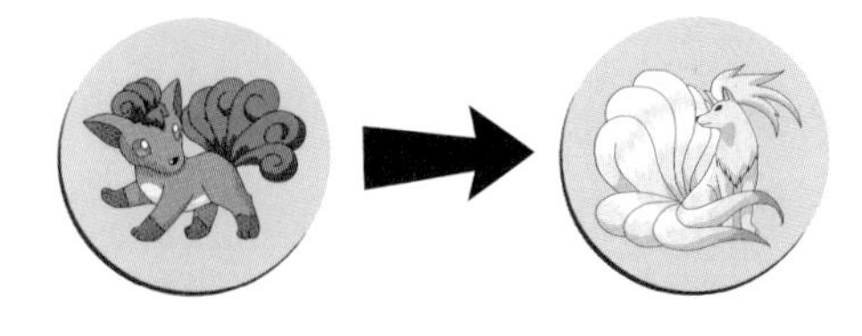

Nº 39 JIGGLYPUFF

PRONONCIATION :
DJI-GLI-POF
ÉLÉMENT :
NORMAL
TYPE :
BALLON
TAILLE :
50 CM
POIDS :
5 KG
TECHNIQUES :
CHANSON
AUTRES TECHNIQUES :
COUPS RÉPÉTÉS, MISE HORS DE COMBAT, REPLI DÉFENSIF, DOUBLE CLAQUE, REPOS, COUP AVEC LE CORPS, DOUBLE TRANCHANT
FORT CONTRE :
AUCUN POKÉMON
FAIBLE CONTRE :
POKÉMON ROCHER
ÉVOLUTION :
PIERRE DE LUNE

ne faut surtout pas se fier aux pparences! Malgré ses grands yeux oux et sa mignonne apparence, ce okémon très rare ne donne pas sa lace durant un combat. Les chansons e Jigglypuff peuvent propulser même es Pokémon les plus robustes au pays es rêves. Une fois que ses ennemis ont endormis, Jigglypuff a recours à sa echnique des coups répétés. Si tu as ne préférence pour les Pokémon nagiques et mystérieux, prends le emps de chercher cette oule légère dans les longues erbes près du mont Moon.

º 40 WIGGLYTUFF

PRONONCIATION :
OUI-GLI-TOF
ÉLÉMENT :
NORMAL
TYPE :
BALLON
TAILLE :
98 CM
POIDS :
12 KG
TECHNIQUES :
CHANSON, MISE HORS DE COMBAT, REPLI DÉFENSIF, DOUBLE CLAQUE
AUTRES TECHNIQUES :
AUCUNE
FORT CONTRE :
AUCUN POKÉMON
FAIBLE CONTRE :
POKÉMON ROCHER
ÉVOLUTION :
PIERRE DE LUNE

Vaut mieux ne pas contrarier ce Pokémon aux grands yeux. Lorsqu'il est en colère, Wigglytuff aspire l'air dans son corps doux et caoutchouté, qui se gonfle comme un ballon géant. À sa taille maximale, il peut effrayer même les ennemis les plus méchants. Comment peux-tu expliquer cela à papa et à maman?

N° 41 ZUBAT

Les Zubat vivent en colonie (ou en groupe) dans des endroits sombres, comme des grottes et des tunnels. Ils utilisent leurs ondes ultrasoniques (un système de radar interne) pour se guider dans le noir et trouver leurs ennemis. Grâce à leur technique de succion de sangsue, ils sucent l'énergie d'un opposant afin d'accroître leur propre énergie.

PRONONCIATION :
ZOU-BATE

ÉLÉMENT :
POISON/AIR

TYPE :
CHAUVE-SOURIS

TAILLE :
78 CM

POIDS :
8 KG

TECHNIQUES :
SUCCION DE SANGSUE

AUTRES TECHNIQUES :
ATTAQUE SUPERSONIQUE, MORSURES, RAYON DE CONFUSION, ATTAQUE AILÉE, BROUILLARD

FORT CONTRE :
POKÉMON INSECTE, DES CHAMPS, DE COMBAT

FAIBLE CONTRE :
POKÉMON POISON, ROCHER, FANTÔME, ÉLECTRIQUE, DE TERRE

ÉVOLUTION :
NORMALE

NIVEAU DE L'ÉVOLUTION :
22

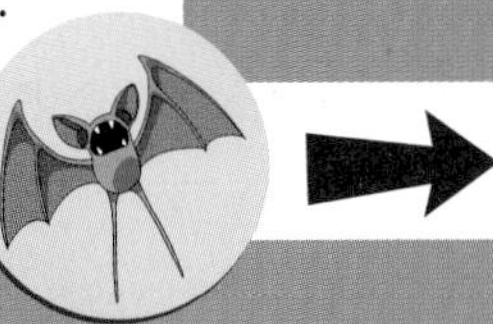

N° 42 GOLBAT

PRONONCIATION :
GOL-BATE

ÉLÉMENT :
POISON/AIR

TYPE :
CHAUVE-SOURIS

TAILLE :
1 M 58

POIDS :
55 KG

TECHNIQUES :
SUCCION DE SANGSUE, CRI PERÇANT, MORSURES, RAYON DE CONFUSION

AUTRES TECHNIQUES :
ATTAQUE AILÉE, BROUILLARD

FORT CONTRE :
POKÉMON INSECTE, DES CHAMPS, DE COMBAT

FAIBLE CONTRE :
POKÉMON POISON, ROCHER, FANTÔME, ÉLECTRIQUE

ÉVOLUTION :
NORMALE

Lorsqu'il a atteint le dernier stade d son évolution, Golbat se nourrit aussi de l'énergie de ses victimes. À l'aide d ses crocs affûtés, Golbat peut sucer u demi-litre de sang par morsure. Grâc à sa technique du brouillard, qui confond son adversaire, celui-ci ne peut déterminer si le Goldbat es un ennemi ou un ami.

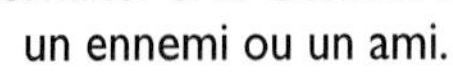

Nº 43 ODDISH

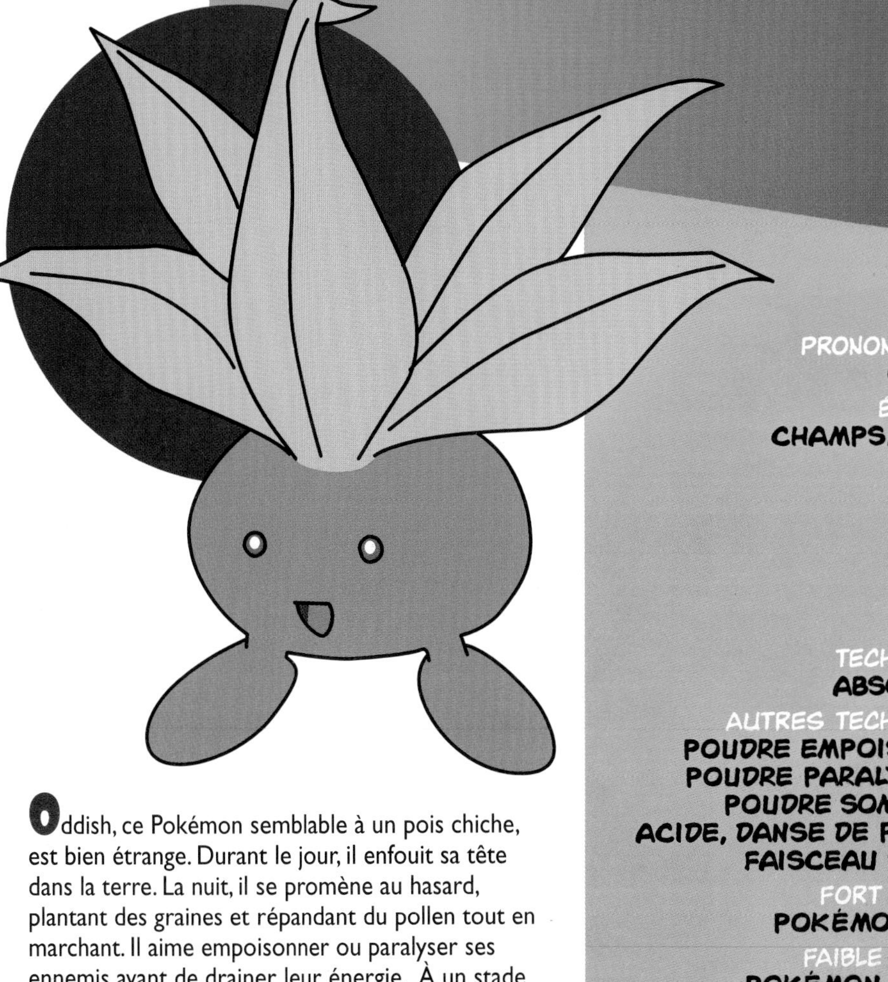

PRONONCIATION :
O-DICHE

ÉLÉMENT :
CHAMPS/POISON

TYPE :
HERBE

TAILLE :
50 CM

POIDS :
5 KG

TECHNIQUES :
ABSORPTION

AUTRES TECHNIQUES :
POUDRE EMPOISONNÉE, POUDRE PARALYSANTE, POUDRE SOMNIFÈRE, ACIDE, DANSE DE PÉTALES, FAISCEAU SOLAIRE

FORT CONTRE :
POKÉMON D'EAU

FAIBLE CONTRE :
POKÉMON POISON, VOLANT, DRAGON, FANTÔME, DE FEU

ÉVOLUTION :
NORMALE

NIVEAU DE L'ÉVOLUTION :
21

Oddish, ce Pokémon semblable à un pois chiche, est bien étrange. Durant le jour, il enfouit sa tête dans la terre. La nuit, il se promène au hasard, plantant des graines et répandant du pollen tout en marchant. Il aime empoisonner ou paralyser ses ennemis avant de drainer leur énergie. À un stade évolué, cette combinaison de Pokémon des champs et de Pokémon poison possède toutes sortes d'aptitudes particulières. Sa technique de la danse de pétales blesse et confond les autres Pokémon. Oddish se sert de son faisceau solaire pour accroître sa propre énergie dès sa première attaque afin d'augmenter son pouvoir avant l'offensive suivante.

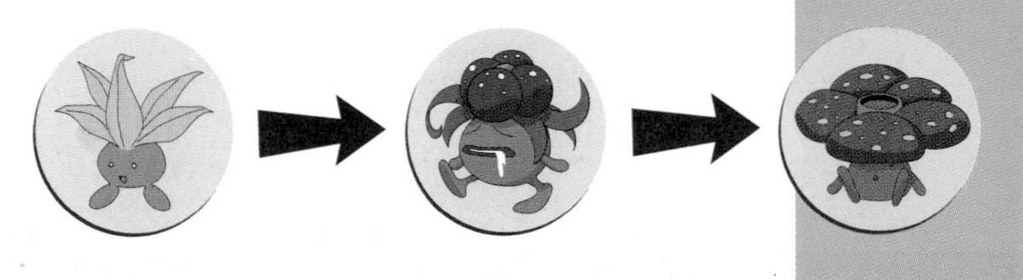

Nº 44 GLOOM

Comme la plupart des Pokémon des champs, Gloom ne se déplace pas très bien. Mais il n'en est pas trop gêné grâce à ses attaques comme la poudre empoisonnée et la poudre paralysante. Non, le liquide qui écume de sa bouche n'est pas de la bave. C'est un nectar dont Gloom se sert pour inciter son ennemi à se rapprocher. Lorsque ce Pokémon se croit en danger, il commence à sentir… mauvais.

PRONONCIATION :
GLOUM

ÉLÉMENT :
CHAMPS/POISON

TYPE :
GRAINE

TAILLE :
78 CM

POIDS :
9 KG

TECHNIQUES :
ABSORPTION, POUDRE EMPOISONNÉE, POUDRE PARALYSANTE, POUDRE SOMNIFÈRE

AUTRES TECHNIQUES :
ACIDE, DANSE DE PÉTALES, FAISCEAU SOLAIRE

FORT CONTRE :
POKÉMON D'EAU

FAIBLE CONTRE :
POKÉMON POISON VOLANT, DRAGON, FANTÔME, DE FEU

ÉVOLUTION :
PIERRE DE FEUILLE

Nº 45 VILEPLUME

PRONONCIATION :
VI-LE-PLU-ME

ÉLÉMENT :
CHAMPS/POISON

TYPE :
FLEUR

TAILLE :
1 M 18

POIDS :
18 KG

TECHNIQUES :
POUDRE EMPOISONNÉE, POUDRE PARALYSANTE, POUDRE SOMNIFÈRE

AUTRES TECHNIQUES :
AUCUNE

FORT CONTRE :
POKÉMON D'EAU

FAIBLE CONTRE :
POKÉMON POISON, VOLANT, DRAGON, FANTÔME, DE FEU

ÉVOLUTION :
PIERRE DE FEUILLE

Quand Gloom se transforme en Vileplume à l'aide d'une pierre de feuille, sa grosse tête devient lourde et est difficile à tenir en équilibre.

N° 46 PARAS

PRONONCIATION :
PA-RASSE

ÉLÉMENT :
INSECTE/CHAMPS

TYPE :
CHAMPIGNON

TAILLE :
30 CM

POIDS :
5 KG

TECHNIQUES :
ÉRAFLURES

AUTRES TECHNIQUES :
POUDRE PARALYSANTE, SUCCION DE SANGSUE, SPORES, COUP DE FOUET, CROISSANCE

FORT CONTRE :
POKÉMON SURNATUREL, ROCHER, D'EAU, DE TERRE

FAIBLE CONTRE :
POKÉMON FANTÔME, VOLANT, POISON, INSECTE, DRAGON, DE COMBAT, DE FEU

ÉVOLUTION :
NORMALE

NIVEAU DE L'ÉVOLUTION :
24

Paras est une combinaison de Pokémon insecte et de Pokémon des champs. Il est armé de pinces d'insecte, et des champignons rares poussent sur son dos. Sa relation avec les champignons est un parfait exemple de symbiose. Les parasites se nourrissent de leur hôte. En retour, les champignons dégagent des nuages de poudre paralysante qui assomme la plupart des adversaires du Pokémon. Lorsqu'il ne se bat pas, Paras s'enfuit sous la terre pour sucer des racines d'arbre.

N° 47 PARASECT

PRONONCIATION :
PA-RA-SEC-TE

ÉLÉMENT :
INSECTE/CHAMPS

TYPE :
CHAMPIGNON

TAILLE :
98 CM

POIDS :
29 KG

TECHNIQUES :
ÉRAFLURES, POUDRE PARALYSANTE, SUCCION DE SANGSUE

AUTRES TECHNIQUES :
SPORES, COUP DE FOUET, CROISSANCE

FORT CONTRE :
POKÉMON SURNATUREL, ROCHER, D'EAU, DE TERRE

FAIBLE CONTRE :
POKÉMON FANTÔME, VOLANT, POISON, INSECTE, DRAGON, DE COMBAT, DE FEU

ÉVOLUTION :
NORMALE

Une fois que Paras s'est transformé en Parasect, le champignon qui pousse sur son dos occupe toute la surface de son corps. Ce champignon géant est un excellent moyen de défense contre les ennemis. La technique des spores endort les attaquants. Le champignon de Parasect sert aussi à concocter des potions magiques. Une seule potion renforce tous les Pokémon du monde.

Nº 48 VENONAT

Ce Pokémon semblable à une bibitte mange des insectes et vit dans l'ombre et sur les branches de grands arbres. La nuit, il aime voltiger près des lumières vives.

PRONONCIATION :
VÉ-NO-NATTE
ÉLÉMENT :
INSECTE/POISON
TYPE :
BIBITTE
TAILLE :
98 CM
POIDS :
30 KG
TECHNIQUES :
PLAQUAGE, MISE HORS DE COMBAT
AUTRES TECHNIQUES :
POUDRE EMPOISONNÉE, SUCCION DE SANGSUE, POUDRE PARALYSANTE, RAYON PSYCHIQUE, POUDRE SOMNIFÈRE, POUVOIRS SURNATURELS
FORT CONTRE :
POKÉMON SURNATUREL, INSECTE, DES CHAMPS
FAIBLE CONTRE :
POKÉMON FANTÔME, VOLANT, POISON, ROCHER, DE COMBAT, DE FEU
ÉVOLUTION :
NORMALE
NIVEAU DE L'ÉVOLUTION :
31

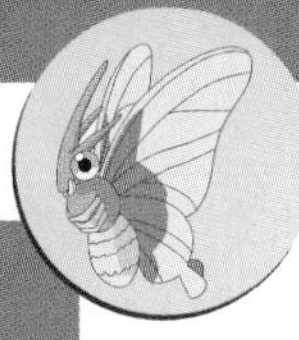

Nº 49 VENOMOTH

Venomoth a des tonnes de techniques puissantes et venimeuses. Les couleurs des écailles semblables à des poussières qui recouvrent ses ailes correspondent chacune à un type de poison. Assure-toi d'avoir suffisamment d'antidote dans ta trousse de premiers soins.

PRONONCIATION :
VÉ-NO-MOTTE
ÉLÉMENT :
INSECTE/POISON
TYPE :
PAPILLON DE NUIT VENIMEUX
TAILLE :
1 M 48
POIDS :
13 KG
TECHNIQUES :
PLAQUAGE, MISE HORS DE COMBAT, POUDRE EMPOISONNÉE, SUCCION DE SANGSUE, POUDRE PARALYSANTE
AUTRES TECHNIQUES :
RAYON PSYCHIQUE, POUDRE SOMNIFÈRE, POUVOIRS SURNATURELS
FORT CONTRE :
POKÉMON SURNATUREL, INSECTE, DES CHAMPS
FAIBLE CONTRE :
POKÉMON FANTÔME, VOLANT, POISON, ROCHER, DE TERRE, DE COMBAT, DE FEU
ÉVOLUTION :
NORMALE

Nº 50 DIGLETT

PRONONCIATION :
DI-GLETTE

ÉLÉMENT :
TERRE

TYPE :
TAUPE

TAILLE :
20 CM

POIDS :
1 KG

TECHNIQUES :
ÉRAFLURES

AUTRES TECHNIQUES :
GROGNEMENTS, CREUSAGE, JET DE SABLE, COUP DE FOUET, TREMBLEMENT DE TERRE

FORT CONTRE :
POKÉMON ÉLECTRIQUE, VOLANT, POISON, ROCHER, DE FEU

FAIBLE CONTRE :
POKÉMON INSECTE, DES CHAMPS

ÉVOLUTION :
NORMALE

NIVEAU DE L'ÉVOLUTION :
26

a tâche la plus difficile, lorsqu'on apture un Diglett, consiste à introduire dans la balle Poké avant u'il ne perde conscience ou ne se auve. La capture d'un Diglett est ne bonne expérience pour un jeune ntraîneur de Pokémon. Les Diglett e changent pas vraiment de forme, s se rassemblent en groupes de rois pour se transformer en Dugtrio.

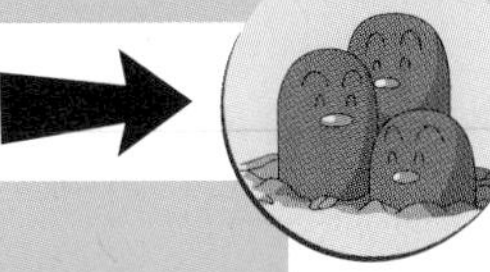

° 51 DUGTRIO

RONONCIATION :
UG-TRIO

LÉMENT :
ERRE

YPE :
AUPE

AILLE :
0 CM

OIDS :
33 KG

ECHNIQUES :
RAFLURES, GROGNEMENTS, JET E SABLE

UTRES TECHNIQUES :
COUP DE FOUET, REMBLEMENT E TERRE

FORT CONTRE :
POKÉMON VOLANT, POISON, ROCHER, DE FEU

FAIBLE CONTRE :
POKÉMON INSECTE, DES CHAMPS

ÉVOLUTION :
NORMALE

Plus difficiles à trouver que les Diglett, les Dugtrio sont beaucoup plus dangereux. Mais ils se contentent surtout de se défendre. Ils aiment provoquer d'énormes tremblements de terre en creusant dans la terre jusqu'à une profondeur de 100 km.

N° 52 MEOWTH

PRONONCIATION :
MI-A-ÔTE

ÉLÉMENT :
NORMAL

TYPE :
CHAT GRIFFU

TAILLE :
40 CM

POIDS :
5 KG

TECHNIQUES :
COUP DE GRIFFES, GROGNEMENTS

AUTRES TECHNIQUES :
MORSURES, RÈGLEMENT DE COMPTES, SUPER CRI, CLAQUES VIOLENTES, COUP DE FOUET

FORT CONTRE :
AUCUN POKÉMON

FAIBLE CONTRE :
POKÉMON FANTÔME, ROCHER

ÉVOLUTION :
NORMALE

NIVEAU DE L'ÉVOLUTION :
28

Meowth est très féroce. En tant que membre du démoniaque trio Team Rocket, il a pour mission d'aider Jessie et James à capturer ou à maltraiter les Pokémon rares. Il est surtout intéressé par Pikachu. Meowth est ambitieux et rusé, mais dans sa hâte d'attaquer il ne tient pas compte de détails importants — ce qui le mène tout droit à de cuisants échecs.

Meowth adore les objets ronds. La nuit, il se promène au hasard des rues à la recherche de monnaie. Sa technique du règlement de comptes est assez particulière : elle permet à son entraîneur de recevoir de l'argent supplémentaire après chaque victoire.

Extrait du Pokédex :
Dans le dessin animé, Meowth est le seul Pokémon qui peut parler une langue humaine. Voici la devise de Meowth : « Je suis un superchat! »

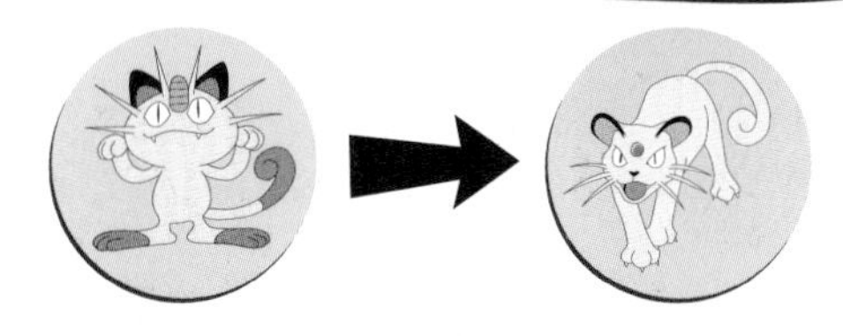

Nº 53 PERSIAN

PRONONCIATION :
PER-SIAN

ÉLÉMENT :
NORMAL

TYPE :
CHAT CLASSIQUE

TAILLE :
98 CM

POIDS :
32 KG

TECHNIQUES :
ÉRAFLURES, GROGNEMENTS, MORSURES, RÈGLEMENT DE COMPTES, CRI PERÇANT

AUTRES TECHNIQUES :
CLAQUE VIOLENTE, COUP DE FOUET

FORT CONTRE :
AUCUN

FAIBLE CONTRE :
POKÉMON ROCHER

ÉVOLUTION :
NORMALE

Les Persian sont très intelligents et puissants. Ils grognent pour affaiblir le pouvoir d'attaque de leurs opposants avant de passer à l'offensive à l'aide de leurs crocs et mâchoires. Ils ont un magnifique pelage admiré de tous.

Extrait du Pokédex :
Giovanni, le cerveau diabolique de Team Rocket, prend un soin minutieux de son Pokémon ronronnant.

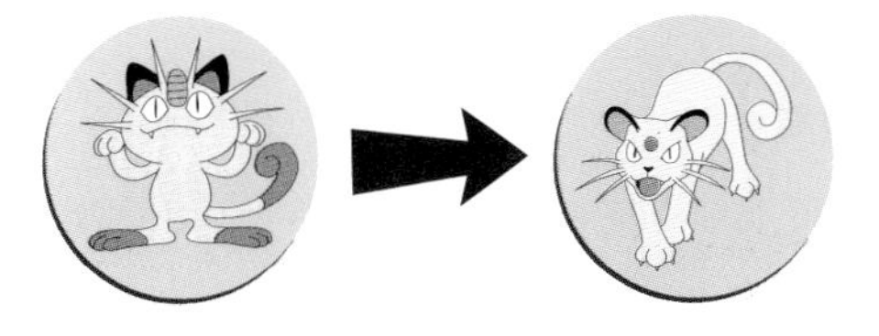

Nº 54 PSYDUCK

PRONONCIATION :
PSI-DOC
ÉLÉMENT :
EAU
TYPE :
CANARD
TAILLE :
77 CM
POIDS :
20 KG
TECHNIQUES :
ÉRAFLURES
AUTRES TECHNIQUES :
COUP DE QUEUE, MISE HORS DE COMBAT, CONFUSION, CLAQUES VIOLENTES, POMPE À EAU
FORT CONTRE :
POKÉMON ROCHER, DE FEU, DE TERRE
FAIBLE CONTRE :
POKÉMON ÉLECTRIQUE, DRAGON, D'EAU, DES CHAMPS
ÉVOLUTION :
NORMALE
NIVEAU DE L'ÉVOLUTION :
33

P*sy aïe! Aïe!* Psyduck utilise le pouvoir mystérieux de son esprit pour hypnotiser ses ennemis grâce à son regard vide qui fait froid dans le dos. Lorsqu'il a une violente migraine et que sa tête est sur le point d'éclater, Psyduck dégage une surcharge d'énergie mentale. Il peut aussi être maladroit sur la terre ferme.

Extrait du Pokédex :
Misty, une entraîneur de Pokémon qui collectionne les Pokémon d'eau, possède un Psyduck. Quand Misty demande à un de ses autres Pokémon d'eau de sortir de leur balle Poké, c'est Psyduck qui va sortir à la place!

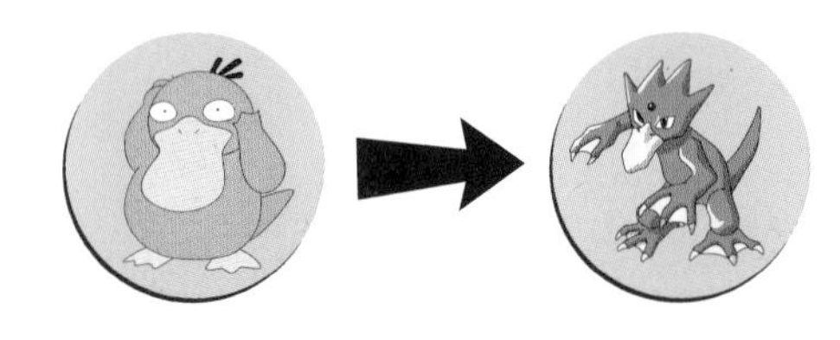

N° 55 GOLDUCK

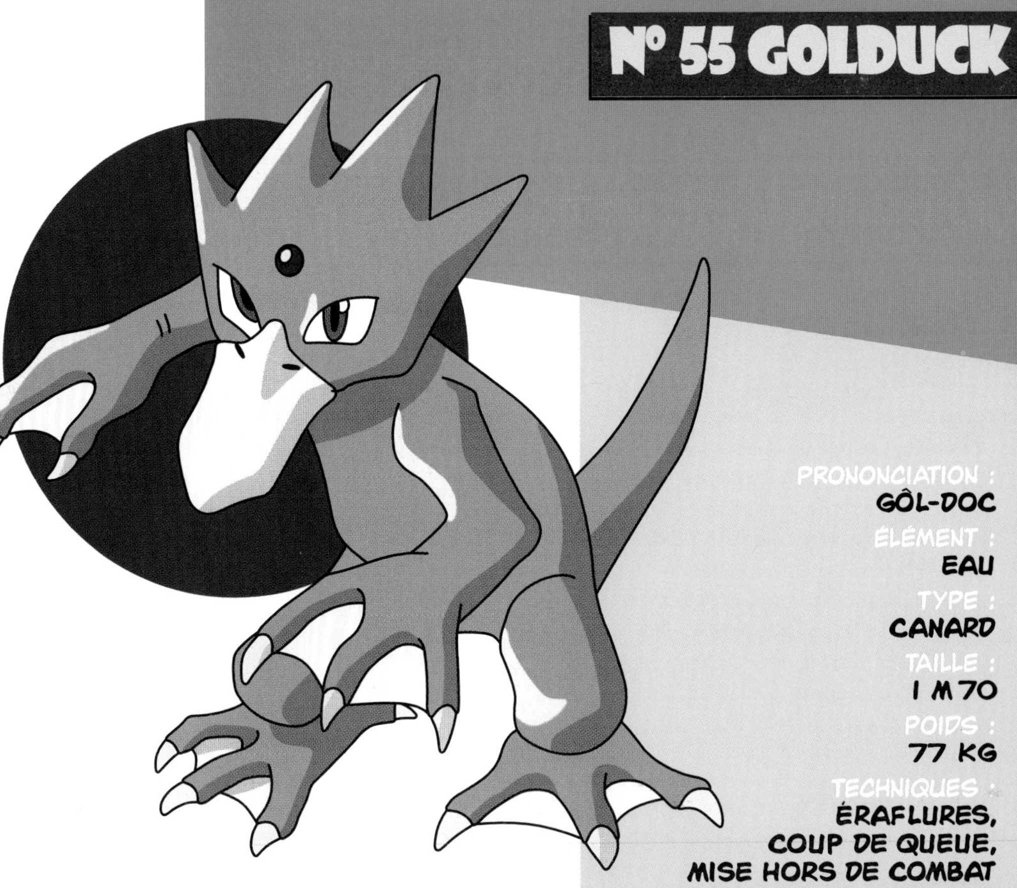

PRONONCIATION :
GÔL-DOC

ÉLÉMENT :
EAU

TYPE :
CANARD

TAILLE :
1 M 70

POIDS :
77 KG

TECHNIQUES :
ÉRAFLURES, COUP DE QUEUE, MISE HORS DE COMBAT

AUTRES TECHNIQUES :
CONFUSION, CLAQUES VIOLENTES, POMPE À EAU

FORT CONTRE :
POKÉMON ROCHER, DE FEU, DE TERRE

FAIBLE CONTRE :
POKÉMON ÉLECTRIQUE, DRAGON, D'EAU, DES CHAMPS

ÉVOLUTION :
NORMALE

Golduck est un Pokémon très élégant. C'est un gracieux combattant aussi bien sur la terre ferme que dans l'eau. Golduck aime nager le long des rives. Il ressemble étonnamment à Kappa, le monstre des mers japonais.

Extrait du Pokédex :
Plaisir garanti! :
Le S.S. Anne, ancré dans la ville de Vermilion, est un navire de fête. On y célèbre tous les jours les Pokémon!

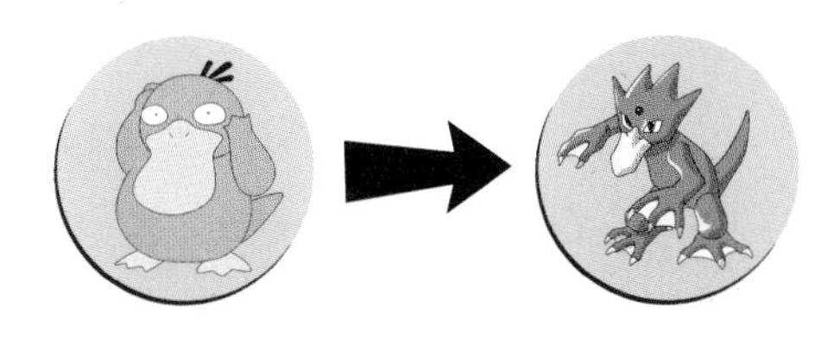

Nº 56 MANKEY

Mankey se met en colère très rapidement. Souvent, il est très calme, puis il devient soudain furieux. Reconnu pour son excellent jeu de pieds, Mankey a aussi un coup de poing puissant. En tant que Pokémon de combat, il est plus rapide et plus agile que la plupart des Pokémon. Il peut même esquiver facilement les techniques particulières d'un autre Pokémon.

PRONONCIATION :
MANNE-KI
ÉLÉMENT :
COMBAT
TYPE :
COCHON/SINGE
TAILLE :
50 CM
POIDS :
28 KG
TECHNIQUES :
ÉRAFLURES, REGARD MAUVAIS
AUTRES TECHNIQUES :
COUP DE KARATÉ, ATTAQUE VIOLENTE, ÉNERGIE CONCENTRÉE, SÉISME, COUP VIOLENT
FORT CONTRE :
POKÉMON NORMAL, ROCHER, DE GLACE
FAIBLE CONTRE :
POKÉMON POISON, VOLANT, SURNATUREL, INSECTE
ÉVOLUTION :
NORMALE
NIVEAU DE L'ÉVOLUTION :
28

Nº 57 PRIMEAPE

PRONONCIATION :
PRI-MA-PE
ÉLÉMENT :
COMBAT
TYPE :
COCHON/SINGE
TAILLE :
98 CM
POIDS :
32 KG
TECHNIQUES :
ÉRAFLURES, REGARD MAUVAIS, COUP DE KARATÉ, ATTAQUE VIOLENTE, ÉNERGIE CONCENTRÉE
AUTRES TECHNIQUES :
SÉISME, COUP VIOLENT
FORT CONTRE :
POKÉMON NORMAL, ROCHER, DE GLACE
FAIBLE CONTRE :
POKÉMON POISON, VOLANT, SURNATUREL, INSECTE
ÉVOLUTION :
NORMALE

Primeape n'abandonne jamais une poursuite tant qu'il n'a pas capturé sa proie. Si tu croises le regard de c singe colérique, prends tes jambes à ton cou! Ses coups de karaté sont impressionnants.

Nº 58 GROWLITHE

Growlithe, le Pokémon chiot, est rès rare. Sois prudent lorsque tu le ombats. Il est exagérément rotecteur de son territoire et de elui de son maître. Il jappe et mord our chasser les intrus.

PRONONCIATION :
GRO-LI-TE
ÉLÉMENT :
FEU
TYPE :
CHIOT
TAILLE :
70 CM
POIDS :
19 KG
TECHNIQUES :
MORSURES, RUGISSEMENTS
AUTRES TECHNIQUES :
BRAISE, REGARD MAUVAIS, RENVERSEMENT, AGILITÉ, LANCE-FLAMMES
FORT CONTRE :
POKÉMON INSECTE, DES CHAMPS, DE GLACE
FAIBLE CONTRE :
POKÉMON ROCHER, DRAGON, DE FEU, D'EAU
ÉVOLUTION :
PIERRE DE FEU

º 59 ARCANINE

RONONCIATION :
R-CA-NI-NE
LÉMENT :
EU
YPE :
ÉGENDAIRE
AILLE :
M 88
OIDS :
54 KG
ECHNIQUES :
UGISSEMENTS, RAISE, REGARD AUVAIS, ENVERSEMENT
AUTRES TECHNIQUES :
AUCUNE
FORT CONTRE :
POKÉMON INSECTE, DES CHAMPS, DE GLACE
FAIBLE CONTRE :
POKÉMON ROCHER, DRAGON, DE FEU, D'EAU
ÉVOLUTION :
PIERRE DE FEU

On célèbre la beauté d'Arcanine depuis des siècles. Ce Pokémon court si vite et avec tant de facilité qu'il semble voler. C'est un Pokémon fidèle, mais tu dois bien l'entraîner pour éviter qu'il morde tes amis ou les membres de ta famille qui sont un peu trop proches de toi.

Nº 60 POLIWAG

PRONONCIATION :
PO-LI-OU-AG

ÉLÉMENT :
EAU

TYPE :
TÊTARD

TAILLE :
60 CM

POIDS :
12 KG

TECHNIQUES :
BULLE

AUTRES TECHNIQUES :
HYPNOSE, JET D'EAU, DOUBLE CLAQUE, COUP AVEC LE CORPS, AMNÉSIE, POMPE À EAU

FORT CONTRE :
POKÉMON ROCHER, DE FEU, DE TERRE

FAIBLE CONTRE :
POKÉMON ÉLECTRIQUE, DRAGON, D'EAU, DES CHAMPS

ÉVOLUTION :
NORMALE

NIVEAU DE L'ÉVOLUTION :
25

Comme il n'a pas de bras pour garder son équilibre, Poliwag a de la difficulté à se tenir debout et à marcher sur ses nouvelles pattes. Il est plus à l'aise lorsqu'il nage.

Extrait du Pokédex :
Lorsque Poliwag se transforme en Poliwhirl, la spirale sur son ventre change de direction.

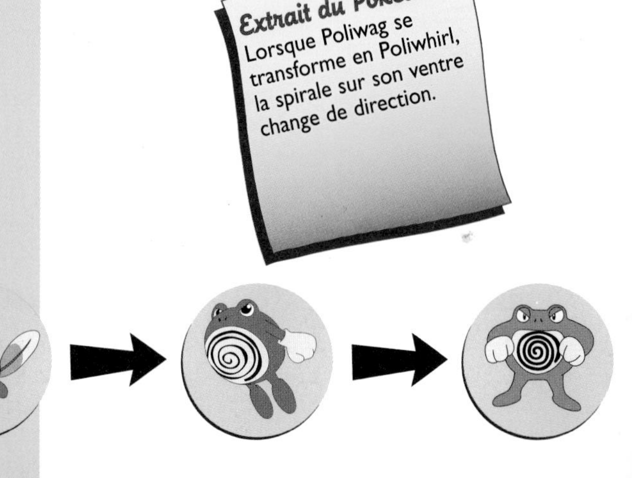

Nº 61 POLIWHIRL

PRONONCIATION :
PO-LI-OUIR-LE
ÉLÉMENT :
EAU
TYPE :
TÊTARD
TAILLE :
68 CM
POIDS :
20 KG
TECHNIQUES :
BULLES, HYPNOSE, JET D'EAU
AUTRES TECHNIQUES :
DOUBLE CLAQUE, COUP AVEC LE CORPS, AMNÉSIE, POMPE À EAU
FORT CONTRE :
POKÉMON ROCHER, DE FEU, DE TERRE
FAIBLE CONTRE :
POKÉMON ÉLECTRIQUE, DRAGON, D'EAU, DES CHAMPS
ÉVOLUTION :
PIERRE D'EAU

Une fois que Poliwag s'est ransformé en Poliwhirl, il peut vivre ans l'eau ou sur la terre. Hors de eau, il transpire afin que son corps emeure visqueux. Poliwhirl utilise outes sortes de pouvoirs mentaux, omme l'amnésie, qui le rendent plus uissant.

º 62 POLIWRATH

RONONCIATION :
O-LI-RATE
LÉMENT :
AU/COMBAT
YPE :
ÊTARD
AILLE :
M 28
OIDS :
4 KG
ECHNIQUES :
OUBLE CLAQUE, OUP AVEC LE ORPS, HYPNOSE, ET D'EAU
AUTRES TECHNIQUES :
AUCUNE
FORT CONTRE :
POKÉMON ROCHER, NORMAL, DE FEU, DE TERRE, DE GLACE
FAIBLE CONTRE :
POKÉMON ÉLECTRIQUE, DRAGON, FANTÔME, POISON, VOLANT, SURNATUREL, INSECTE, D'EAU, DES CHAMPS
ÉVOLUTION :
PIERRE D'EAU

Poliwrath est un nageur exceptionnel. Ses spécialités sont le crawl et la brasse. Après avoir évolué à l'aide de la pierre d'eau, Poliwrath possède encore plus de techniques de combat comme les coups avec le corps. Mais il a aussi recours à l'hypnose pour endormir ses ennemis. Il pourrait même t'hypnotiser afin que tu le laisses sortir de sa balle Poké plus souvent.

Nº 63 ABRA

PRONONCIATION :
A-BRA
ÉLÉMENT :
SURNATUREL
TYPE :
SURNATUREL
TAILLE :
58 CM
POIDS :
19 KG
TECHNIQUES :
TÉLÉKINÉSIE
AUTRES TECHNIQUES :
AUCUNE
FORT CONTRE :
POKÉMON POISON, DE COMBAT
FAIBLE CONTRE :
POKÉMON SURNATUREL
ÉVOLUTION :
NORMALE
NIVEAU DE L'ÉVOLUTION :
16

La capacité d'Abra de lire dans les pensées peut se révéler très pratique. Ce Pokémon peut détecter le danger et téléporter (ou déplacer) des objets et des personnes — y compris lui-même. Il ne peut attaquer, mais quand on peut échapper aussi facilement à la brute, pourquoi s'en faire? Il a aussi besoin de beaucoup de repos, jusqu'à 18 heures de sommeil par jour! Mais Abra peut quand même utiliser les pouvoirs de son esprit pour déplacer des objets durant son sommeil. Ce Pokémon est un excellent allié. Pour le capturer, essaie de le paralyser avant qu'il ne s'enfuie.

Nº 64 KADABRA

PRONONCIATION :
CA-DA-BRA

ÉLÉMENT :
SURNATUREL

TYPE :
SURNATUREL

TAILLE :
1 M 28

POIDS :
56 KG

TECHNIQUES :
TÉLÉKINÉSIE,
CONFUSION

AUTRES TECHNIQUES :
MISE HORS DE COMBAT, RAYON PSYCHIQUE, RÉCUPÉRATION, POUVOIRS SURNATURELS, RÉFLEXION

FORT CONTRE :
POKÉMON POISON, DE COMBAT

FAIBLE CONTRE :
POKÉMON SURNATUREL

ÉVOLUTION :
ÉCHANGE

Tout comme Abra, Kadabra préfère e servir de son puissant esprit lutôt que de son corps pour gagner ne compétition. Il émet des ondes sychiques particulières qui donnent e violentes migraines à tous ceux ui s'approchent trop près de lui.

° 65 ALAKAZAM

RONONCIATION :
A-LA-KA-ZAME

LÉMENT :
URNATUREL

YPE :
URNATUREL

AILLE :
M 48

OIDS :
48 KG

ECHNIQUES :
ÉLÉKINÉSIE,
ONFUSION

AUTRES TECHNIQUES :
MISE HORS DE COMBAT, RAYON PSYCHIQUE, RÉCUPÉRATION, POUVOIRS SURNATURELS, RÉFLEXION

FORT CONTRE :
POKÉMON POISON, DE COMBAT

FAIBLE CONTRE :
POKÉMON SURNATUREL

ÉVOLUTION
ÉCHANGE

Alakazam a un cerveau incroyablement puissant. Il est plus intelligent qu'un super ordinateur! Avec un QI de 5 000, Alakazam est un génie! Si tu es très gentil avec lui, il pourrait t'aider à faire tes devoirs.

N° 66 MACHOP

Même s'il est petit, Machop est rempli d'énergie. Il adore apprendre tous les types d'arts martiaux, comme le karaté, pour augmenter sa puissance. Il est aussi rapide et mobile que Mankey et peut même esquiver la plupart des techniques spécialisées. C'est aussi l'un des Pokémon les plus intelligents. Machop est un compagnon loyal et un professeur hors pair.

PRONONCIATION :
MAT-CHOPE

ÉLÉMENT :
COMBAT

TYPE :
SUPERPOUVOIRS

TAILLE :
78 CM

POIDS :
19 KG

TECHNIQUES :
COUP DE KARATÉ

AUTRES TECHNIQUES :
COUP DE PIED, REGARD MAUVAIS, ÉNERGIE CONCENTRÉE, SÉISME, SOUMISSION

FORT CONTRE :
POKÉMON NORMA ROCHER, DE GLAC

FAIBLE CONTRE :
POKÉMON POISON VOLANT, SURNATUREL, INSECTE

ÉVOLUTION :
ÉCHANGE

NIVEAU DE L'ÉVOLUTION :
28

N° 67 MACHOKE

Machoke, par contre, aime beaucoup trop son corps. Parfois, il est trop occupé à s'admirer dans le miroir pour s'entraîner. Et il est si fort qu'il doit porter une ceinture d'économie d'énergie pour maîtrise ses mouvements.

PRONONCIATION :
MAT-CHÔ-QUE

ÉLÉMENT :
COMBAT

TYPE :
SUPER POUVOIRS

TAILLE :
1 M 22

POIDS :
70 KG

TECHNIQUES :
COUP DE KARATÉ, COUP DE PIED, REGARD MAUVAIS

AUTRES TECHNIQUES :
ÉNERGIE CONCENTRÉE, SÉISME, SOUMISSION

FORT CONTRE :
POKÉMON NORMAL, ROCHER, DE GLACE

FAIBLE CONTRE :
POKÉMON FANTÔME, POISON, VOLANT, SURNATUREL, INSECTE

ÉVOLUTION :
ÉCHANGE

Nº 68 MACHAMP

PRONONCIATION :
MAT-CHAMPE

ÉLÉMENT :
COMBAT

TYPE :
SUPER PUISSANT

TAILLE :
1 M 58

POIDS :
129 KG

TECHNIQUES :
COUP DE KARATÉ, COUP DE PIED, REGARD MAUVAIS

AUTRES TECHNIQUES :
ÉNERGIE CONCENTRÉE, SÉISME, SOUMISSION

FORT CONTRE :
POKÉMON ROCHER, NORMAL, DE GLACE

FAIBLE CONTRE :
POKÉMON POISON, VOLANT, SURNATUREL, INSECTE

ÉVOLUTION :
ÉCHANGE

Machamp est nettement plus puissant que Machop et Machoke. Il doit être échangé avant de pouvoir évoluer, mais cela ne le dérange pas. Le combat n'a plus de secret pour ce Pokémon aux multiples bras. Machamp se sert de ses énormes muscles pour lancer de puissants coups de poing qui peuvent propulser un opposant sur la lune! Il n'est pas facile à garder dans une balle Poké, mais il peut être un excellent garde du corps.

Nº 69 BELLSPROUT

PRONONCIATION :
BELLE-SPROUTE

ÉLÉMENT :
CHAMPS/POISON

TYPE :
FLEUR

TAILLE :
70 CM

POIDS :
4 KG

TECHNIQUES :
FOUET AVEC UNE LIANE, CROISSANCE

AUTRES TECHNIQUES :
ÉTOUFFEMENT, POUDRE EMPOISONNÉE, POUDRE SOMNIFÈRE, POUDRE PARALYSANTE, ACIDE, FEUILLE COUPANTE, COUP VIOLENT

FORT CONTRE :
POKÉMON D'EAU

FAIBLE CONTRE :
POKÉMON POISON, VOLANT, DRAGON, FANTÔME, DE FEU

ÉVOLUTION :
NORMALE

NIVEAU DE L'ÉVOLUTION :
21

Les Bellsprout sont des Pokémon plantes qui attrapent et mangent des insectes comme une plante carnivore. Leurs racines plongent dans la terre à la recherche de l'humidité dont elles ont besoin. Si tu prévois capturer un Bellsprout sauvage, tu dois te servir de ton attaque la plus puissante avant qu'il ne puisse avoir recours à sa technique de croissance contre toi.

N° 70 WEEPINBELL

PRONONCIATION :
OUI-PINE-BELLE

ÉLÉMENT :
CHAMPS/POISON

TYPE :
PLANTE CARNIVORE

TAILLE :
98 CM

POIDS :
6 KG

TECHNIQUES :
FOUET AVEC UNE LIANE, CROISSANCE, ÉTOUFFEMENT, POUDRE EMPOISONNÉE, POUDRE SOMNIFÈRE

AUTRES TECHNIQUES :
POUDRE PARALYSANTE, ACIDE, FEUILLE COUPANTE, COUP VIOLENT

FORT CONTRE :
POKÉMON D'EAU

FAIBLE CONTRE :
POKÉMON POISON, VOLANT, DRAGON, FANTÔME, DE FEU

ÉVOLUTION :
PIERRE DE FEUILLE

Tout comme son cousin 3ellsprout, Weepinbell aime :ommencer un combat avec sa echnique de croissance avant de lisperser un peu de poudre empoisonnée. Puis, il n'a qu'à vaporiser un peu d'acide pour :erminer le combat.

° 71 VICTREEBEL

PRONONCIATION :
VIC-TRI-BELLE

ÉLÉMENT :
CHAMPS/POISON

TYPE :
PLANTE CARNIVORE

TAILLE :
1 M 68

POIDS :
15 KG

TECHNIQUES :
ÉTOUFFEMENT, POUDRE EMPOISONNÉE, POUDRE SOMNIFÈRE

AUTRES TECHNIQUES :
AUCUNE

FORT CONTRE :
POKÉMON D'EAU

FAIBLE CONTRE :
POKÉMON POISON, VOLANT, DRAGON, FANTÔME, DE FEU

ÉVOLUTION :
PIERRE DE FEUILLE

Si, par hasard, tu possèdes une pierre de feuille, tu pourras faire évoluer un Victreebell. Selon la rumeur, les Victreebell vivent en gigantesques colonies ou groupes au plus profond de la jungle.

Nº 72 TENTACOOL

PRONONCIATION :
TAN-TA-COULE

ÉLÉMENT :
EAU/POISON

TYPE :
MÉDUSE

TAILLE :
88 CM

POIDS :
45 KG

TECHNIQUES :
ACIDE

AUTRES TECHNIQUES :
ATTAQUE SUPERSONIQUE, ÉTOUFFEMENT, PIQÛRES EMPOISONNÉES, JET D'EAU, RESSERREMENT, BARRIÈRE, CRI PERÇANT, POMPE À EAU

FORT CONTRE :
POKÉMON INSECTE, DE FEU

FAIBLE CONTRE :
POKÉMON ÉLECTRIQUE, DRAGON, POISON, FANTÔME, D'EAU

ÉVOLUTION :
NORMALE

NIVEAU DE L'ÉVOLUTION :
30

Le passe-temps favori de Tentacool est de flotter dans l'eau chaude et peu profonde. Si tu habites près d'un lac où il fait régulièrement 26 °C, c'est un Pokémon idéal pour toi! On appelle « rubis de l'océan » la superbe tache rouge qui orne la tête de Tentacool. Mais il ne faut pas se laisser subjuguer par sa beauté parce que ses dards sont très dangereux.

Extrait du Pokédex :
Tentacruel et Tentacool ont déjà envahi tous les navires du port de la ville de Portavista parce qu'un millionnaire local, Nastina, avait tenté de détruire leur habitat.

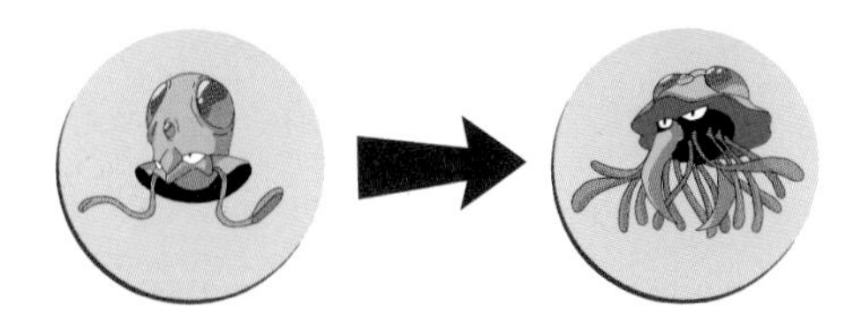

N° 73 TENTACRUEL

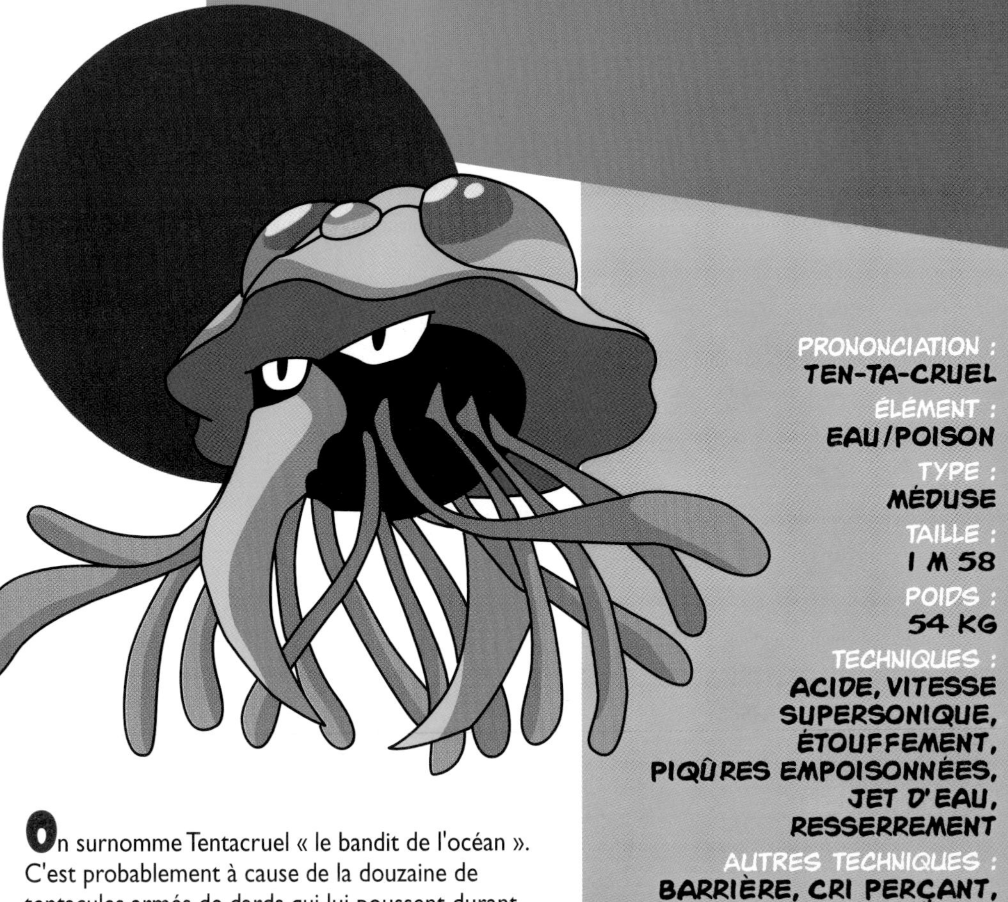

PRONONCIATION :
TEN-TA-CRUEL

ÉLÉMENT :
EAU/POISON

TYPE :
MÉDUSE

TAILLE :
1 M 58

POIDS :
54 KG

TECHNIQUES :
ACIDE, VITESSE SUPERSONIQUE, ÉTOUFFEMENT, PIQÛRES EMPOISONNÉES, JET D'EAU, RESSERREMENT

AUTRES TECHNIQUES :
BARRIÈRE, CRI PERÇANT, POMPE À EAU

FORT CONTRE :
POKÉMON INSECTE, DE FEU

FAIBLE CONTRE :
POKÉMON ÉLECTRIQUE, DRAGON, POISON, FANTÔME, D'EAU

ÉVOLUTION :
NORMALE

On surnomme Tentacruel « le bandit de l'océan ». C'est probablement à cause de la douzaine de tentacules armés de dards qui lui poussent durant son évolution. Son dard est extrêmement dangereux! Tentacruel préfère garder ses tentacules courts, sauf lorsqu'il chasse. Alors, les tentacules s'allongent pour prendre au piège une proie innocente et la paralyser.

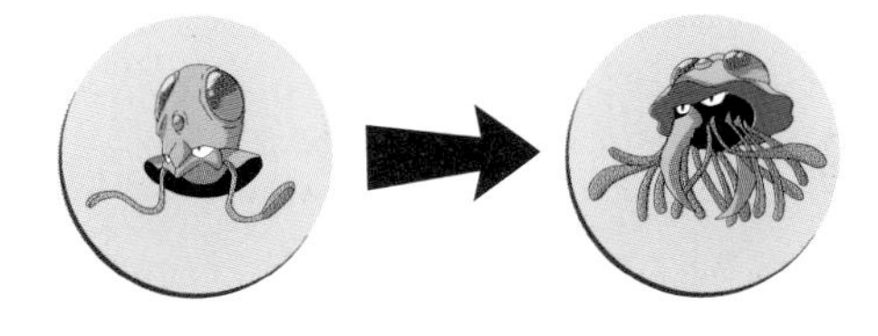

N° 74 GEODUDE

PRONONCIATION :
GÉ-O-DUDE

ÉLÉMENT :
ROCHER/TERRE

TYPE :
ROCHER

TAILLE :
40 CM

POIDS :
20 KG

TECHNIQUES :
PLAQUAGE

AUTRES TECHNIQUES :
REPLI DÉFENSIF, JET DE PIERRES, AUTODESTRUCTION, DURCISSEMENT, TREMBLEMENT DE TERRE, EXPLOSION

FORT CONTRE :
POKÉMON ÉLECTRIQUE, POISON, ROCHER, VOLANT, DE FEU, DE GLACE

FAIBLE CONTRE :
POKÉMON DE COMBAT, DE TERRE, DES CHAMPS

ÉVOLUTION :
NORMALE

NIVEAU DE L'ÉVOLUTION :
25

Immobile dans les champs et les montagnes, Geodude en ébranle plus d'un! Mais à moins que tu ne le déranges, il ne bougera probablement pas. En fait, la plupart des passants le prennent pour un rocher ou une grosse pierre. Pas très passionnant tout ça — à moins que tu n'aies un faible pour les roches. Peins-le de toutes sortes de couleurs et attends de voir s'il réagira. Mais fais attention! Il est très difficile d'attaquer ce Pokémon à la peau dure comme la pierre. En fait, il est presque impossible à capturer.

Nº 75 GRAVELER

Graveler se déplace en déboulant dans les collines. Il roule aussi sur tout ce qui se trouve sur son chemin — sans même ralentir ni changer de direction. À mesure qu'il évolue, des couches d'écailles coupantes poussent sur sa peau rocheuse.

PRONONCIATION :
GRA-VE-LÈRE

ÉLÉMENT :
ROCHER/TERRE

TYPE :
ROCHER

TAILLE :
68 CM

POIDS :
104 KG

TECHNIQUES :
PLAQUAGE, REPLI DÉFENSIF, JET DE PIERRES, AUTODESTRUCTION

AUTRES TECHNIQUES :
DURCISSEMENT, TREMBLEMENT DE TERRE, EXPLOSION

FORT CONTRE :
POKÉMON ÉLECTRIQUE, POISON, ROCHER, VOLANT, DE FEU, DE GLACE

FAIBLE CONTRE :
POKÉMON DE COMBAT, DE TERRE, DES CHAMPS

ÉVOLUTION :
ÉCHANGE

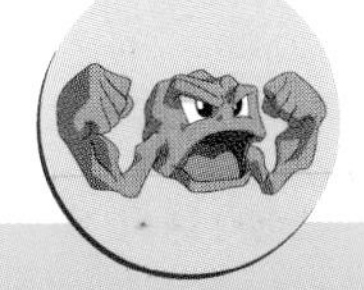

Nº 76 GOLEM

PRONONCIATION :
GO-LÈME

ÉLÉMENT :
ROCHER/TERRE

TYPE :
MÉGATONNE

TAILLE :
1 M 38

POIDS :
280 KG

TECHNIQUES :
PLAQUAGE, REPLI DÉFENSIF, JET DE PIERRES, AUTODESTRUCTION

AUTRES TECHNIQUES :
DURCISSEMENT, TREMBLEMENT DE TERRE, EXPLOSION

FORT CONTRE :
POKÉMON ÉLECTRIQUE, POISON, ROCHER, VOLANT, DE FEU, DE GLACE

FAIBLE CONTRE :
POKÉMON DE COMBAT, DE TERRE, DES CHAMPS

ÉVOLUTION :
ÉCHANGE

Il est difficile de capturer un Golem en raison de sa taille massive et de sa grande force. La dynamite n'en vient même pas à bout. Ces Pokémon sont plus faciles à repérer que les Geodude et les Graveler dans les champs et les montagnes. Golem ne se fâche pas facilement, mais ses colères sont légendaires! Provoqué, il devient un féroce combattant. Chaque année, il se dépouille de sa carapace de pierre et devient encore plus gros. Tu dois échanger un Graveler avec un ami si tu veux qu'il se transforme en Golem.

Nº 77 PONYTA

PRONONCIATION :
PO-NI-TA
ÉLÉMENT :
FEU
TYPE :
CHEVAL DE FEU
TAILLE :
98 CM
POIDS :
30 KG
TECHNIQUES :
BRAISE
AUTRES TECHNIQUES :
COUP DE QUEUE, PIÉTINEMENT, GROGNEMENTS, TOURBILLON DE FEU, RENVERSEMENT, AGILITÉ
FORT CONTRE :
POKÉMON, INSECTE, DES CHAMPS, DE GLACE
FAIBLE CONTRE :
POKÉMON DE FEU, D'EAU, ROCHERS, DRAGON
ÉVOLUTION :
NORMALE
NIVEAU DE L'ÉVOLUTION :
40

Ponyta est un excellent cheval de course. Alors si tu aimes l'équitation et la vitesse, ce Pokémon est parfait pour toi. C'est aussi un excellent sauteur — même par-dessus l'eau. Sa crinière est faite de feu, mais le Ponyta ne brûle jamais les personnes en qui il a confiance. Ses sabots sont dix fois plus durs que le diamant et, d'un simple coup de sabot, il peut aplatir n'importe quoi comme une crêpe.

Extrait du Pokédex :
Lara Larame, célèbre éleveuse de Pokémon, s'est constitué un ranch entier plein de Ponyta. L'opinion populaire veut que les Ponyta qu'elle élève soient parmi les plus vigoureux.

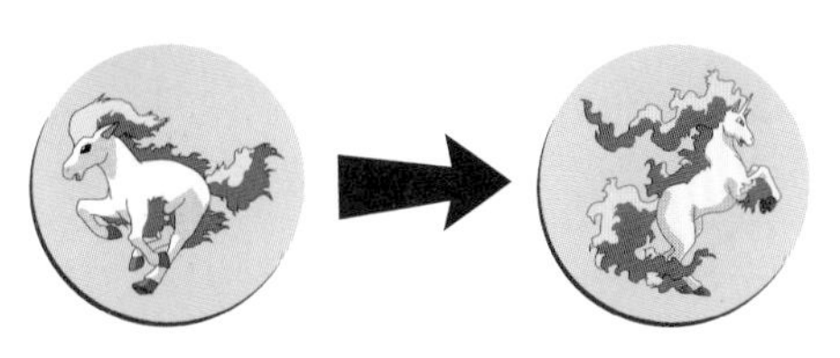

Nº 78 RAPIDASH

PRONONCIATION :
RA-PI-DACHE

ÉLÉMENT :
FEU

TYPE :
CHEVAL DE FEU

TAILLE :
1 M 68

POIDS :
94 KG

TECHNIQUES :
BRAISE, COUP DE QUEUE, PIÉTINEMENT, GROGNEMENTS, TOURBILLON DE FEU

AUTRES TECHNIQUES :
RENVERSEMENT, AGILITÉ

FORT CONTRE :
POKÉMON INSECTE, DES CHAMPS, DE GLACE

FAIBLE CONTRE :
POKÉMON, ROCHER, DRAGON, DE FEU, D'EAU

ÉVOLUTION :
NORMALE

Son nom le décrit bien. Ce Pokémon semblable à un cheval est très rapide. Grâce à sa vitesse extraordinaire, Rapidash peut frapper un adversaire plusieurs fois de suite. Il est aussi extrêmement compétitif. Rapidash poursuivra tout ce qui bouge dans l'espoir de faire une course. Attrape-le… si tu le peux!

Nº 79 SLOWPOKE

PRONONCIATION :
SLO-PO-KE

ÉLÉMENT :
EAU/SURNATUREL

TYPE :
STUPIDE

TAILLE :
1 M 17

POIDS :
36 KG

TECHNIQUES :
CONFUSION

AUTRES TECHNIQUES :
MISE HORS DE COMBAT, GROGNEMENTS, JETS D'EAU, AMNÉSIE, POUVOIRS SURNATURELS

FORT CONTRE :
POKÉMON ROCHER, POISON, DE FEU, DE TERRE, DE COMBAT,

FAIBLE CONTRE :
POKÉMON DRAGON, SURNATUREL, D'EAU, ÉLECTRIQUE, DES CHAMPS

ÉVOLUTION :
NORMALE

NIVEAU DE L'ÉVOLUTION :
37

Contrairement à Ponyta et à Rapidash, Slowpoke N'AIME PAS bouger. Tout ce qu'il fait, il le fait très très très LENTEMENT… et stupidement. Il faut en moyenne cinq secondes à Slowpoke pour se rendre compte qu'il a mal! Pour faire évoluer un Slowpoke, il suffit de tremper sa queue dans l'océan et d'attendre qu'un Shellder y morde; à ce moment-là, Slowpoke est instantanément transformé en Slowbro! Si tu as une patience d'ange, ce Pokémon est parfait pour toi.

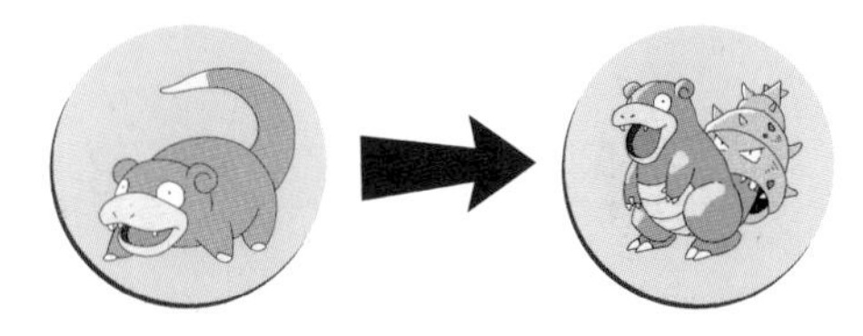

N° 80 SLOWBRO

PRONONCIATION :
SLO-BRO

ÉLÉMENT :
EAU/SURNATUREL

TYPE :
BERNARD-L'HERMITE

TAILLE :
1 M 57

POIDS :
78 KG

TECHNIQUES :
CONFUSION, MISE HORS DE COMBAT, ATTAQUE AÉRIENNE, GROGNEMENTS, JETS D'EAU, RETRAIT

AUTRES TECHNIQUES :
AMNÉSIE, POUVOIRS SURNATURELS

FORT CONTRE :
POKÉMON ROCHER, POISON, DE COMBAT, DE FEU, DE TERRE,

FAIBLE CONTRE :
POKÉMON DRAGON, SURNATUREL, ÉLECTRIQUE, D'EAU, DES CHAMPS

ÉVOLUTION :
NORMALE

Slowbro est mentalement et physiquement lent. Mais il est mignon et adorable, et il est chanceux et perspicace. De façon générale, il fait un bon compagnon, même s'il peut être frustrant de lui enseigner une nouvelle technique.

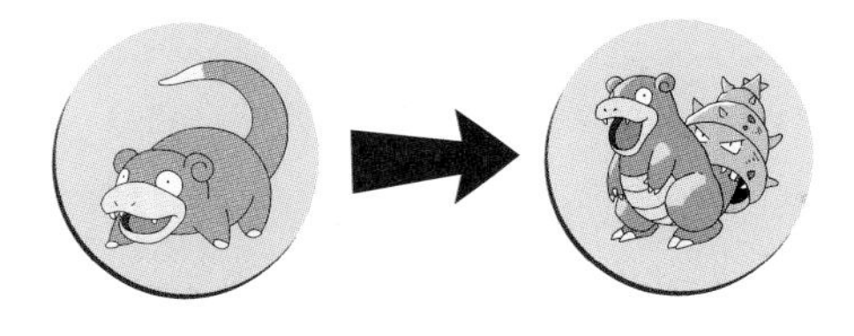

Nº 81 MAGNEMITE

Magnemite est très puissant. Son onde de choc et ses autres techniques du genre sont presque imbattables. Magnemite apparaît soudainement et a la capacité de vaincre la gravité, ce qui lui permet de flotter dans les airs. Les Magnemite sont aussi excellents pour retrouver les trombones perdus et d'autres petits objets métalliques.

PRONONCIATION :
MA-GNÉ-MI-TE

ÉLÉMENT :
ÉLECTRICITÉ

TYPE :
AIMANT

TAILLE :
30 CM

POIDS :
6 KG

TECHNIQUES :
PLAQUAGE

AUTRES TECHNIQUES :
BANG SONIQUE, COUP DE TONNERRE, ATTAQUE SUPERSONIQUE, ONDES DE CHOC, VIVACITÉ, CRI PERÇANT

FORT CONTRE :
POKÉMON VOLANT, D'EAU

FAIBLE CONTRE :
POKÉMON ÉLECTRIQUE, DRAGON, DES CHAMPS

ÉVOLUTION :
NORMALE

NIVEAU DE L'ÉVOLUTION :
30

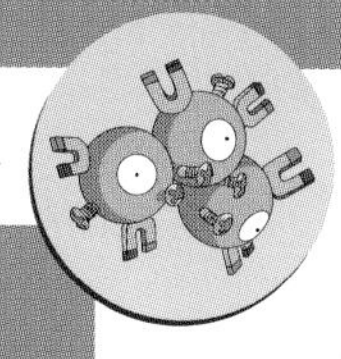

Nº 82 MAGNETON

PRONONCIATION :
MA-GNÉ-TON

ÉLÉMENT :
ÉLECTRICITÉ

TYPE :
AIMANT

TAILLE :
1 M 57

POIDS :
59 KG

TECHNIQUES :
PLAQUAGE, BANG SONIQUE, COUP DE TONNERRE, ATTAQUE SUPERSONIQUE

AUTRES TECHNIQUES :
ONDE DE CHOC, VIVACITÉ, CRI PERÇANT

FORT CONTRE :
POKÉMON VOLANT, D'EAU

FAIBLE CONTRE :
POKÉMON ÉLECTRIQUE, DRAGON, DES CHAMPS

ÉVOLUTION :
NORMALE

Trois Magnemite se réunissent pour former un Magneton. Lorsque des taches sombres apparaissent su[r] le soleil, les Magneton attaquent plu[s] souvent.

Nº 83 FARFETCH'D

PRONONCIATION :
FAR-FET-CHT

ÉLÉMENT :
NORMAL/AIR

TYPE :
CANARD SAUVAGE

TAILLE :
48 CM

POIDS :
15 KG

TECHNIQUES :
COUP DE BEC, JET DE SABLE

AUTRES TECHNIQUES :
REGARD MAUVAIS, ATTAQUE VIOLENTE, DANSE DES SABRES, AGILITÉ, COUP DE FOUET

FORT CONTRE :
POKÉMON INSECTE, DES CHAMPS, DE COMBAT

FAIBLE CONTRE :
POKÉMON ROCHER, ÉLECTRIQUE

ÉVOLUTION :
AUCUNE

Farfetch'd est un oiseau rare. Et même unique! Avec sa technique de la danse des sabres, ce Pokémon, qui ressemble à un canard, utilise des pousses d'oignon vert comme autant de minuscules sabres. Ce Pokémon convient parfaitement aux entraîneurs qui aiment se distinguer. Malheureusement, les Farfetch'd sont presque éteints parce que certaines personnes trouvaient qu'ils étaient délicieux servis avec des poireaux. Never Fear, un commerçant de la ville de Vermilion, te donnera un Farfetch'd en échange d'un Spearow.

Nº 84 DODUO

PRONONCIATION :
DO-DU-O

ÉLÉMENT :
NORMAL/AIR

TYPE :
OISEAU SIAMOIS

TAILLE :
1 M 38

POIDS :
39 KG

TECHNIQUES :
COUP DE BEC

AUTRES TECHNIQUES :
ATTAQUE VIOLENTE, COUP DE BEC EN VRILLE, COLÈRE, TRIPLE ATTAQUE, GROGNEMENTS, AGILITÉ

FORT CONTRE :
POKÉMON INSECT DES CHAMPS, DE COMBAT

FAIBLE CONTRE :
POKÉMON ROCHER ÉLECTRIQUE

ÉVOLUTION :
NORMALE

NIVEAU DE L'ÉVOLUTION :
31

Doduo ne vole pas très bien, mais il est si rapide qu'il n'a même pas besoin de voler. Doduo a des pieds de géant qui laissent de très grandes empreintes sur le sol.

Nº 85 DODRIO

PRONONCIATION :
DO-DRI-O

ÉLÉMENT :
NORMAL/VOLANT

TYPE :
OISEAU À TROIS TÊTES

TAILLE :
1 M 78

POIDS :
85 KG

TECHNIQUES :
COUP DE BEC, GROGNEMENTS, ATTAQUES VIOLENTES, COUP DE BEC EN VRILLE

AUTRES TECHNIQUES :
COLÈRE, TRIPLE ATTAQUE, AGILITÉ

FORT CONTRE :
POKÉMON INSECTE, DES CHAMPS, DE COMBAT

FAIBLE CONTRE :
POKÉMON ROCHER, ÉLECTRIQUE

ÉVOLUTION :
NORMALE

Trois têtes valent mieux qu'une! Dodrio a une tête joyeuse, une tête triste et une tête en colère. De plus, chaque tête contient un cerveau. Dodrio est donc super intelligent. Il imagine des plans compliqués pour gagner des batailles. Quand Dodrio trouve-t-il le temps de dormir? C'est simple, pendant que deux têtes dorment, une reste éveillée!

Nº 86 SEEL

PRONONCIATION :
SI-LE

ÉLÉMENT :
EAU

TYPE :
PHOQUE

TAILLE :
1 M 7

POIDS :
89 KG

TECHNIQUES :
ATTAQUE AÉRIENNE

AUTRES TECHNIQUES :
FAISCEAU LUMINEUX, REPOS, RENVERSEMENT, FAISCEAU GLACIAL, GROGNEMENTS

FORT CONTRE :
POKÉMON ROCHER, DE FEU, DE TERRE

FAIBLE CONTRE :
POKÉMON ÉLECTRIQUE, DRAGON, D'EAU, DES CHAMPS

ÉVOLUTION :
NORMALE

NIVEAU DE L'ÉVOLUTION :
34

Brrrrrrrrrrrrr! Les Seel vivent dans es eaux glaciales de l'Arctique et se ervent de la corne qui se trouve au ommet de leur tête pour casser la lace épaisse. Si tu peux supporter le roid, Seel sera pour toi un ami dorable.

° 87 DEWGONG

PRONONCIATION :
U-GONG

ÉLÉMENT :
EAU/GLACE

TYPE :
PHOQUE

TAILLE :
M 68

POIDS :
9 KG

TECHNIQUES :
ATTAQUE AÉRIENNE, GROGNEMENTS

AUTRES TECHNIQUES :
FAISCEAU LUMINEUX, REPOS, RENVERSEMENT, FAISCEAU GLACIAL

FORT CONTRE :
POKÉMON ROCHER, VOLANT, DE TERRE

FAIBLE CONTRE :
POKÉMON D'EAU, DE GLACE, ÉLECTRIQUE

ÉVOLUTION :
NORMALE

Dewgong emmagasine l'énergie thermique du soleil dans son corps. Il peut nager longtemps et rapidement, même dans des eaux extrêmement froides. Grâce à sa technique spéciale du repos, Dewgong peut se guérir lui-même — mais il doit sauter deux tours dans la bataille.

N° 88 GRIMER

Grimer et Muk adorent la boue et tout ce qui est gluant. Il n'est donc pas étonnant de les retrouver auprès de Team Rocket. Grimer peut en fait être utilisé comme usine naturelle de dépollution parce qu'il aime se nourrir de la boue polluée qui est rejetée par les usines et les vestiaires des gymnases.

PRONONCIATION :
GRI-MÈ-RE

ÉLÉMENT :
POISON

TYPE :
BOUE

TAILLE :
88 CM

POIDS :
30 KG

TECHNIQUES :
COUPS RÉPÉTÉS, MISE HORS DE COMBAT

AUTRES TECHNIQUES :
GAZ EMPOISONNÉ, RÉDUCTION, BOUE EMPOISONNÉE, DURCISSEMENT, C PERÇANT, ARMURE D'ACIDE

FORT CONTRE :
POKÉMON INSECT DES CHAMPS

FAIBLE CONTRE :
POKÉMON POISON ROCHER, FANTÔME DE TERRE

ÉVOLUTION :
NORMALE

NIVEAU DE L'ÉVOLUTION :
38

N° 89 MUK

PRONONCIATION :
MO-QUE

ÉLÉMENT :
POISON

TYPE :
BOUE

TAILLE :
1 M 17

POIDS :
30 KG

TECHNIQUES :
COUPS RÉPÉTÉS, MISE HORS DE COMBAT, GAZ EMPOISONNÉ, RÉDUCTION, BOUE EMPOISONNÉE

AUTRES TECHNIQUES :
DURCISSEMENT, CRI PERÇANT, ARMURE D'ACIDE

FORT CONTRE :
POKÉMON INSECTE, DES CHAMPS

FAIBLE CONTRE :
POKÉMON POISON, FANTÔME, DE TERRE

ÉVOLUTION :
NORMALE

La boue visqueuse qui recouvre le corps de Muk est tellement toxique que même ses empreintes sont empoisonnées!

Extrait du Pokédex :
Il peut être dangereux pour la plomberie de garder en un même endroit trop de Grimer et de Muk. Ils sont si visqueux qu'ils ont déjà causé une panne d'électricité en bloquant les tuyaux utilisés pour pomper l'eau dans une centrale électrique!

N° 90 SHELLDER

Shellder peut être un peu nalicieux. Il aime taquiner ses dversaires pendant une bataille en eur tirant la langue et en leur rachant dans les yeux entre les ttaques. Sa coquille très dure onstitue la meilleure protection qui oit. Il est à l'épreuve de tout!

PRONONCIATION :
CHEL-DÈ-RE

ÉLÉMENT :
EAU

TYPE :
HUÎTRE

TAILLE :
30 CM

POIDS :
4 KG

TECHNIQUES :
PLAQUAGE, RETRAIT

AUTRES TECHNIQUES :
ATTAQUE SUPERSONIQUE, SERRES, FAISCEAU LUMINEUX, REGARD MAUVAIS, FAISCEAU GLACIAL

FORT CONTRE :
POKÉMON ROCHER, DE FEU, DE TERRE

FAIBLE CONTRE :
POKÉMON ÉLECTRIQUE, DRAGON, DES CHAMPS, D'EAU

ÉVOLUTION :
PIERRE D'EAU

° 91 CLOYSTER

RONONCIATION :
CLOILLE-STÈRE

LÉMENT :
EAU/GLACE

YPE :
UÎTRE

AILLE :
M 48

OIDS :
31 KG

ECHNIQUES :
ETRAIT, ATTAQUE UPERSONIQUE, ERRE, FAISCEAU UMINEUX

AUTRES TECHNIQUES :
BOMBARDEMENT DE PICS

FORT CONTRE :
POKÉMON ROCHER, VOLANT, DE TERRE

FAIBLE CONTRE :
POKÉMON ÉLECTRIQUE, D'EAU, DE GLACE

ÉVOLUTION :
PIERRE D'EAU

Cloyster est beaucoup plus sérieux que Shellder pendant les batailles. Il utilise sa technique de bombardement de pics pour frapper ses ennemis jusqu'à cinq fois de suite. Sa coquille le protège si bien que même une bombe ne pourrait le détruire. Personne ne sait à quoi ressemble un Cloyster à l'intérieur de sa coquille.

Nº 92 GASTLY

PRONONCIATION :
GAST-LY
ÉLÉMENT :
FANTÔME/POISON
TYPE :
GAZ
TAILLE :
1 M 27
POIDS :
90 G
TECHNIQUES :
LÉCHAGE, RAYONS DE CONFUSION, OMBRE NOCTURNE
AUTRES TECHNIQUES :
HYPNOSE, MANGEUR DE RÊVES
FORT CONTRE :
POKÉMON SURNATUREL, INSECTE, DES CHAMPS
FAIBLE CONTRE :
POKÉMON POISON, ROCHER, FANTÔME DE TERRE
ÉVOLUTION :
NORMALE
NIVEAU DE L'ÉVOLUTION :
25

Gastly et Haunter font partie d'un trio de Pokémon fantômes empoisonnés qui sèment la dévastation dans l'effrayante tour des Pokémon. Absolument aucun Pokémon n'a autant l'avantage sur les Pokémon fantômes que Gastly et Haunter. Gastly est fait de gaz, ce qui le rend presque invisible. Il peut entourer ses adversaires et les endormir à leur insu.

Nº 93 HAUNTER

PRONONCIATION :
A-ONE-TÈRE
ÉLÉMENT :
FANTÔME/POISON
TYPE :
GAZ
TAILLE :
1 M 58
POIDS :
0,01 KG
TECHNIQUES :
LÉCHAGE, RAYONS DE CONFUSION, OMBRE NOCTUNE
AUTRES TECHNIQUES :
HYPNOSE, MANGEUR DE RÊVE
FORT CONTRE :
POKÉMON SURNATUREL, INSECTE, DES CHAMPS
FAIBLE CONTRE :
POKÉMON POISON, ROCHER, FANTÔME, DE TERRE
ÉVOLUTION :
ÉCHANGE

La vraie nature de Gastly et de Hunter est un véritable mystère. Sont-ils vraiment des spectres qui donnent froid dans le dos ou simplement des Pokémon solitaires qui veulent s'amuser un peu?

Extrait du Pokédex :
La rumeur veut que les Gastly se consacrent entièrement à garder bien vivantes les anciennes légendes effrayantes que les gens ont tendance à oublier avec les années.

Nº 94 GENGAR

Gengar est un affreux vampire et un esprit malfaisant. Les soirs de pleine lune, ce Pokémon aime faire peur aux gens en faisant semblant d'être leur ombre. Quand ses victimes ont vraiment peur, Gengar rit de tout son cœur.

Extrait du Pokédex :
Peu de Pokémon ont l'avantage lorsqu'ils se battent contre un Pokémon fantôme. Quelle est la meilleure défense lorsque tu te bats contre un spectre effrayant? Essaie n'importe quoi. Tu seras peut-être chanceux!

PRONONCIATION :
GENE-GAR
ÉLÉMENT :
FANTÔME/POISON
TYPE :
OMBRE
TAILLE :
1 M 47
POIDS :
40 KG
TECHNIQUES :
LÉCHAGE, RAYONS DE CONFUSION, OMBRE NOCTURNE
AUTRES TECHNIQUES :
HYPNOSE, MANGEUR DE RÊVE
FORT CONTRE :
POKÉMON SURNATUREL, INSECTE, DES CHAMPS
FAIBLE CONTRE :
POKÉMON POISON, ROCHER, FANTÔME, DE TERRE
ÉVOLUTION :
ÉCHANGE

Nº 95 ONIX

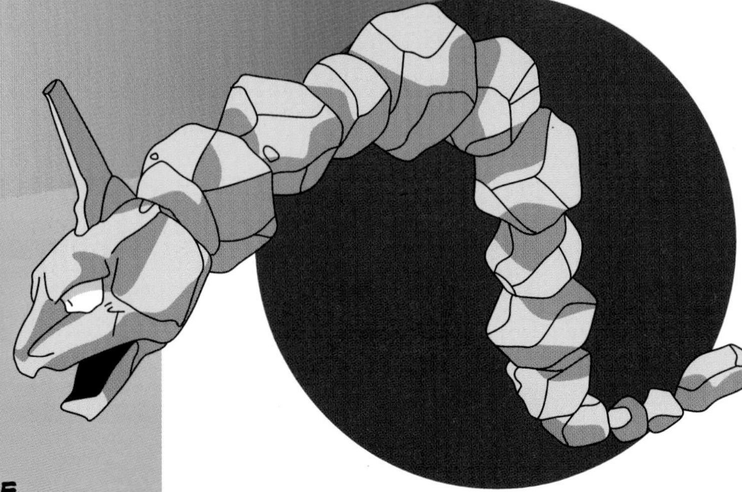

PRONONCIATION :
O-NIKS

ÉLÉMENT :
ROCHER/TERRE

TYPE :
SERPENT DE ROCHE

TAILLE :
8 M 65

POIDS :
208 KG

TECHNIQUES :
PLAQUAGE, CRI PERÇANT

AUTRES TECHNIQUES :
RALENTISSEMENT, JET DE PIERRES, COLÈRE, COUP VIOLENT, DURCISSEMENT

FORT CONTRE :
POKÉMON INSECTE, ÉLECTRIQUE, POISON, ROCHER, DE FEU, DE GLACE

FAIBLE CONTRE :
POKÉMON DE COMBAT, DE TERRE, DES CHAMPS

ÉVOLUTION :
AUCUNE

Onix, qui mesure plus de 8 m, est le plus long des Pokémon. À mesure qu'il grandit, les roches qui forment le corps d'Onix deviennent aussi noires que le charbon et aussi dures que le diamant. Ce n'est vraiment pas un Pokémon pour les entraîneurs débutants!

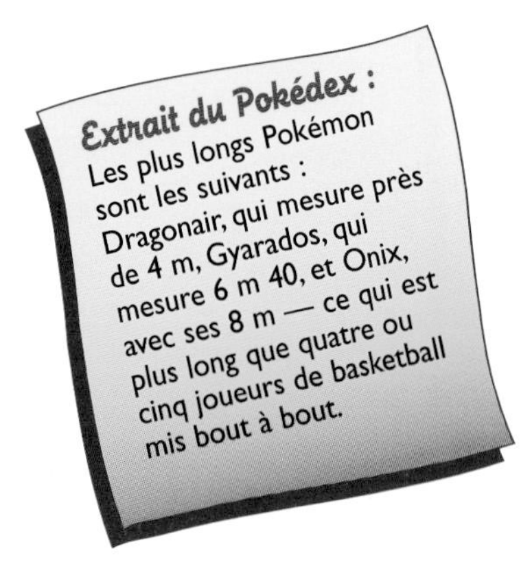

Extrait du Pokédex :
Les plus longs Pokémon sont les suivants : Dragonair, qui mesure près de 4 m, Gyarados, qui mesure 6 m 40, et Onix, avec ses 8 m — ce qui est plus long que quatre ou cinq joueurs de basketball mis bout à bout.

Nº 96 DROWZEE

PRONONCIATION :
DRA-O-ZI
ÉLÉMENT :
SURNATUREL
TYPE :
HYPNOSE
TAILLE :
98 CM
POIDS :
32 KG
TECHNIQUES :
COUPS RÉPÉTÉS, HYPNOSE
AUTRES TECHNIQUES :
MISE HORS DE COMBAT, CONFUSION, ATTAQUE AÉRIENNE, GAZ EMPOISONNÉ, POUVOIRS SURNATURELS, MÉDITATION
FORT CONTRE :
POKÉMON POISON, DE COMBAT
FAIBLE CONTRE :
POKÉMON SURNATUREL
ÉVOLUTION :
NORMALE
NIVEAU DE L'ÉVOLUTION :
26

'os paupières sont lourdes! 'attaque préférée de Drowzee et e Hypno consiste à endormir les utres Pokémon. Ensuite, ils lévorent les rêves de leurs victimes! euls les rêves agréables donnent de énergie à Drowzee et à Hypno — es mauvais rêves les rendent nalades.

º 97 HYPNO

'RONONCIATION :
P-NO
LÉMENT :
SURNATUREL
'YPE :
IYPNOSE
'AILLE :
M 58
'OIDS :
'5 KG
'ECHNIQUES :
COUPS RÉPÉTÉS, IYPNOSE, MISE IORS DE COMBAT, CONFUSION, ATTAQUE AÉRIENNE
AUTRES TECHNIQUES :
GAZ EMPOISONNÉ, POUVOIRS SURNATURELS, MÉDITATION
FORT CONTRE :
POKÉMON POISON, DE COMBAT
FAIBLE CONTRE :
POKÉMON SURNATUREL
ÉVOLUTION :
NORMALE

Hypno transporte avec lui un pendentif bien spécial qui émet des ondes de sommeil. Drowzee et Hypno ne sont peut-être pas les Pokémon les plus puissants, mais leurs adversaires sont bien souvent trop fatigués pour se battre contre eux.

N° 98 KRABBY

PRONONCIATION :
CRA-BI
ÉLÉMENT :
EAU
TYPE :
CRABE DE RIVIÈRE
TAILLE :
40 CM
POIDS :
6 KG
TECHNIQUES :
BULLES, REGARD MAUVAIS
AUTRES TECHNIQUES :
PINCE-ÉTAU, GUILLOTINE, PIÉTINEMENT, MARTEAU, DURCISSEMENT
FORT CONTRE :
POKÉMON ROCHER, DE FEU, DE TERRE
FAIBLE CONTRE :
POKÉMON ÉLECTRIQUE, DRAGON, D'EAU, DES CHAMPS
ÉVOLUTION :
NORMALE
NIVEAU DE L'ÉVOLUTION :
28

Les Krabby ont vraiment un caractère exécrable! Ils attaquent tout ce qui bouge et qui envahit leur territoire. Ces Pokémon communs utilisent leurs pinces pour garder leur équilibre lorsqu'ils marchent de côté, et comme arme puissante, naturellement!

Extrait du Pokédex :
Le 7e Pokémon de Ash est un Krabby. Il était si triste de ne pouvoir emporter son Krabby avec lui (tu ne peux transporter que six Pokémon à la fois), qu'il l'appelait chaque jour. Krabby s'amusait bien au laboratoire du professeur Oak.

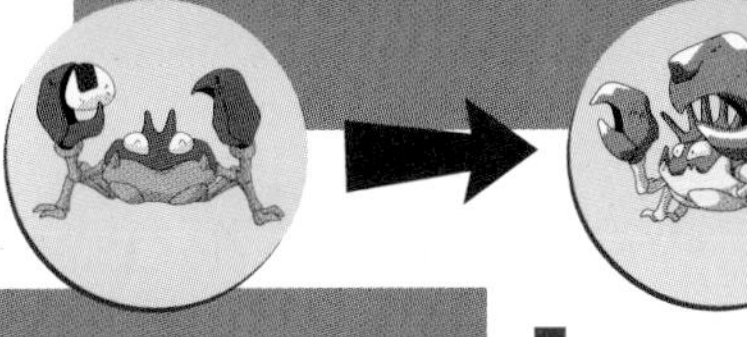

N° 99 KINGLER

PRONONCIATION :
KI-GNE-GLÈ-RE
ÉLÉMENT :
EAU
TYPE :
CRABE À PINCES
TAILLE :
1 M 28
POIDS :
59 KG
TECHNIQUES :
BULLES, REGARD MAUVAIS, PINCE-ÉTAU, GUILLOTINE
AUTRES TECHNIQUES :
PIÉTINEMENT, MARTEAU, DURCISSEMENT
FORT CONTRE :
POKÉMON ROCHER, DE FEU, DE TERRE
FAIBLE CONTRE :
POKÉMON ÉLECTRIQUE, DRAGON, D'EAU, DES CHAMPS
ÉVOLUTION :
NORMALE

Les pinces de Kingler sont encore plus puissantes que celles de Krabby. Elles peuvent broyer de l'acier! Kingler préfère l'océan aux lacs et aux cours d'eau — il y trouve davantage de proies! Krabby et Kingler partagent l'attaque guillotine qui, si elle réussit, permet de battre automatiquement un autre Pokémon. Impressionnant! Leur technique du marteau n'est pas piquée des vers non plus.

Nº 100 VOLTORB

PRONONCIATION :
VOL-TOR-BE
ÉLÉMENT :
ÉLECTRICITÉ
TYPE :
BALLE
TAILLE :
50 CM
POIDS :
10 KG
TECHNIQUES :
PLAQUAGE,
CRI PERÇANT

AUTRES TECHNIQUES :
BANG SONIQUE,
AUTODESTRUCTION,
ÉCRAN DE LUMIÈRE,
VIVACITÉ,
EXPLOSION
FORT CONTRE :
POKÉMON VOLANT,
D'EAU
FAIBLE CONTRE :
POKÉMON
ÉLECTRIQUE,
DRAGON,
DES CHAMPS
ÉVOLUTION :
NORMALE
NIVEAU DE
L'ÉVOLUTION :
30

Est-ce un Voltorb ou une balle
'oké? Tu dois prendre l'objet en
orme de balle dans tes mains pour
e savoir — à moins que celui-ci ne
'attaque. L'identité véritable de
/oltorb reste un mystère. Il utilise le
:ri perçant pour diminuer les
léfenses de son adversaire avant de
'attaquer avec une décharge
électrique. Si Voltorb a l'impression
qu'il va perdre une bataille, il
'autodétruira pour que tu ne
ouisses pas le capturer.

° 101 ELECTRODE

PRONONCIATION :
E-LEC-TRO-DE
ÉLÉMENT :
ÉLECTRICITÉ
TYPE :
BALLE
TAILLE :
M 18
POIDS :
66 KG
TECHNIQUES :
PLAQUAGE,
CRI PERÇANT,
BANG SONIQUE,
AUTODESTRUCTION,
ÉCRAN DE LUMIÈRE

AUTRES
TECHNIQUES :
VIVACITÉ,
EXPLOSION
FORT CONTRE :
POKÉMON VOLANT,
D'EAU
FAIBLE CONTRE :
POKÉMON
ÉLECTRIQUE,
DRAGON,
DES CHAMPS
ÉVOLUTION :
NORMALE

Electrode, alias Balle explosive, est
plein d'électricité. Il emmagasine
l'électricité à très haute pression.
Fais attention! Ce Pokémon explose
souvent, sans aucune raison.

Nº 102 EXEGGCUTE

PRONONCIATION :
EGS-EG-QUI-OU-TE
ÉLÉMENT :
CHAMPS/SURNATUREL
TYPE :
ŒUF
TAILLE :
40 CM
POIDS :
3 KG
TECHNIQUES :
BARRAGE, HYPNOSE
AUTRES TECHNIQUES :
RÉFLEXION, GRAINES EMPOISONNÉES, POUDRE PARALYSANTE, POUDRE EMPOISONNÉE, FAISCEAU SOLAIRE, POUDRE SOMNIFÈRE
FORT CONTRE :
POKÉMON ROCHER, D'EAU, DE TERRE, DE COMBAT
FAIBLE CONTRE :
POKÉMON VOLANT, INSECTE, DRAGON, SURNATUREL, DE FEU, DES CHAMPS
ÉVOLUTION :
PIERRE DE FEUILLE

Exeggcute ressemble à un groupe d'œufs, mais il agit davantage comme des graines. Les Exeggcute ne voyagent jamais seuls. Lorsqu'ils se font déranger, ils entourent rapidement l'intrus qui s'est aventuré sur leur territoire et l'attaquent.

Extrait du Pokédex :
Tous les Pokémon ont la possibilité de se débattre. Même s'il se sait en désavantage, un Pokémon ne se laissera pas faire. Lorsqu'un Pokémon se débat, il peut infliger des dommages à son adversaire, mais il se blesse aussi lui-même.

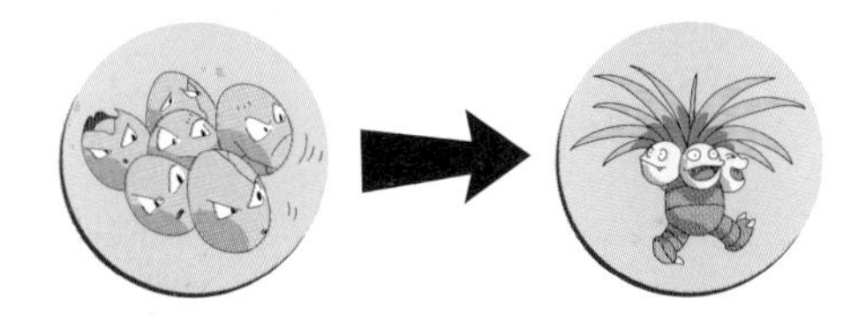

Nº 103 EXEGGUTOR

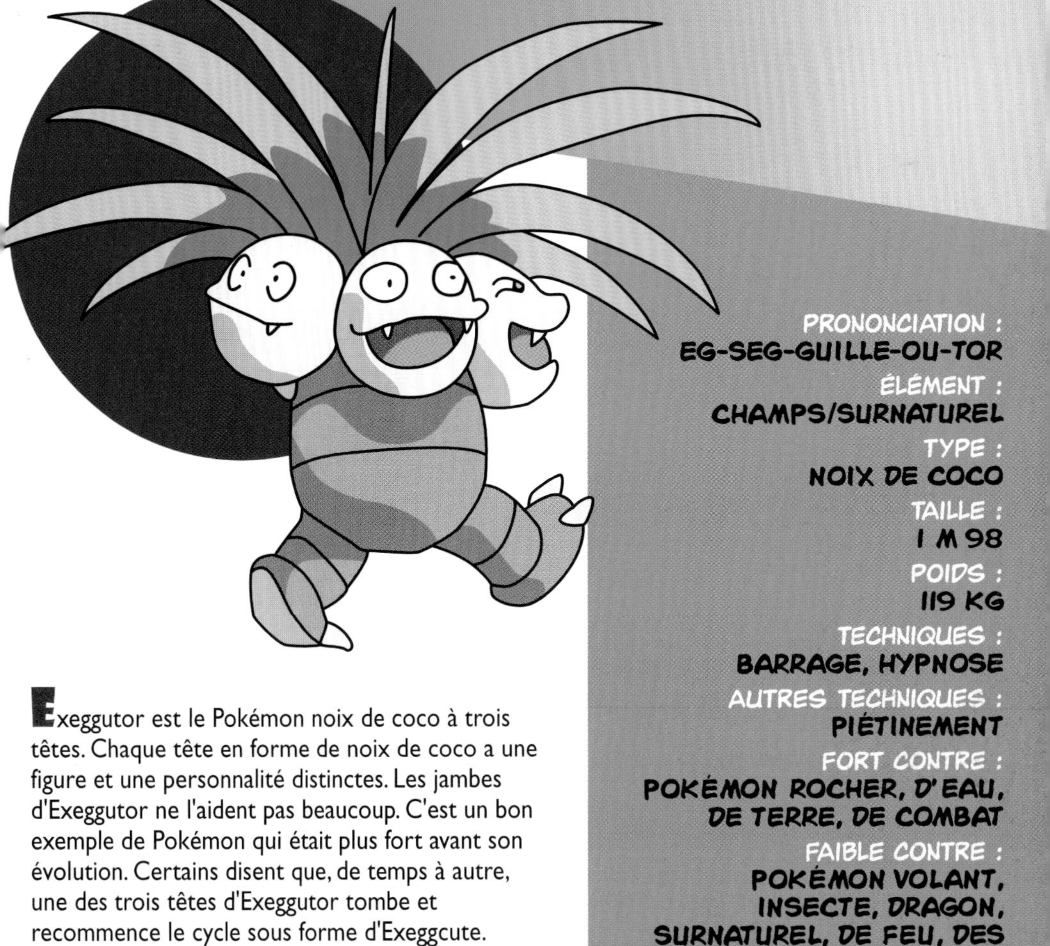

PRONONCIATION :
EG-SEG-GUILLE-OU-TOR

ÉLÉMENT :
CHAMPS/SURNATUREL

TYPE :
NOIX DE COCO

TAILLE :
1 M 98

POIDS :
119 KG

TECHNIQUES :
BARRAGE, HYPNOSE

AUTRES TECHNIQUES :
PIÉTINEMENT

FORT CONTRE :
POKÉMON ROCHER, D'EAU, DE TERRE, DE COMBAT

FAIBLE CONTRE :
POKÉMON VOLANT, INSECTE, DRAGON, SURNATUREL, DE FEU, DES CHAMPS

ÉVOLUTION :
PIERRE DE FEUILLE

Exeggutor est le Pokémon noix de coco à trois têtes. Chaque tête en forme de noix de coco a une figure et une personnalité distinctes. Les jambes d'Exeggutor ne l'aident pas beaucoup. C'est un bon exemple de Pokémon qui était plus fort avant son évolution. Certains disent que, de temps à autre, une des trois têtes d'Exeggutor tombe et recommence le cycle sous forme d'Exeggcute.

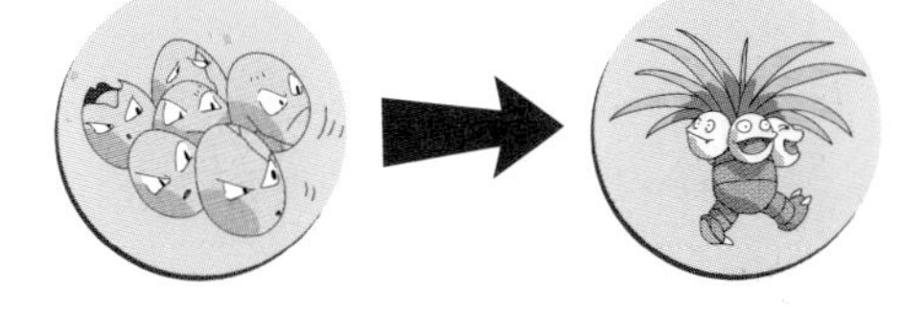

N° 104 CUBONE

PRONONCIATION :
KI-OU-BO-NE
ÉLÉMENT :
TERRE
TYPE :
SOLITAIRE
TAILLE :
40 CM
POIDS :
6 KG
TECHNIQUES :
MASSUE EN OS, GROGNEMENTS
AUTRES TECHNIQUES :
REGARD MAUVAIS, ÉNERGIE CONCENTRÉE, RACLÉE, BOOMERANG, COLÈRE
FORT CONTRE :
POKÉMON ÉLECTRIQUE, POISON, ROCHER, DE FEU
FAIBLE CONTRE :
POKÉMON INSECTE, DES CHAMPS
ÉVOLUTION :
NORMALE
NIVEAU DE L'ÉVOLUTION :
28

Cubone utilise les os d'un Pokémon préhistorique pour se fabriquer une armure et des armes rudimentaires. Il utilise le boomerang et la massue avec une précision déconcertante. Comme Cubone ne retire jamais son casque d'os, personne ne sait à quoi ressemble son vrai visage.

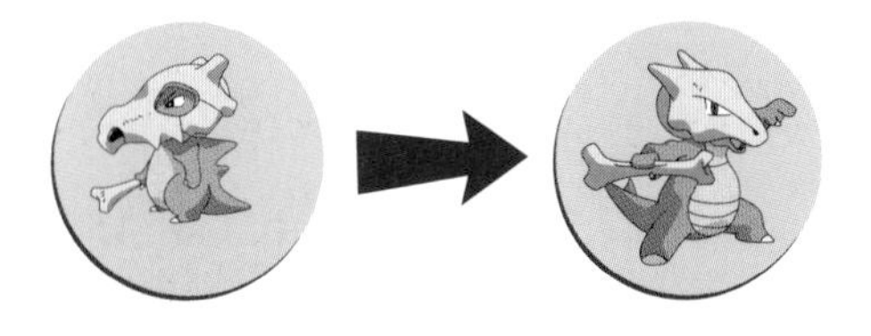

N° 105 MAROWAK

PRONONCIATION :
MA-RO-WAC
ÉLÉMENT :
TERRE
TYPE :
GARDIEN DES OS
TAILLE :
98 CM
POIDS :
45 KG
TECHNIQUES :
MASSUE EN OS, GROGNEMENTS, REGARD MAUVAIS
AUTRES TECHNIQUES :
ÉNERGIE CONCENTRÉE, RACLÉE, BOOMERANG, COLÈRE
FORT CONTRE :
POKÉMON ÉLECTRIQUE, POISON, ROCHER, DE FEU
FAIBLE CONTRE :
POKÉMON INSECTE, DES CHAMPS
ÉVOLUTION :
NORMALE

Marowak utilise lui aussi les os à son avantage. L'os qu'il tient dans sa main est son arme principale. Marowak lance son os avec précision, comme un boomerang, pour assommer son adversaire. Selon la légende, une mère Marowak en colère, bouleversée par la mort horrible de ses deux enfants, hante la tour des Pokémon. Si tu réussis à avoir le dessus sur elle, son esprit pourra enfin reposer en paix.

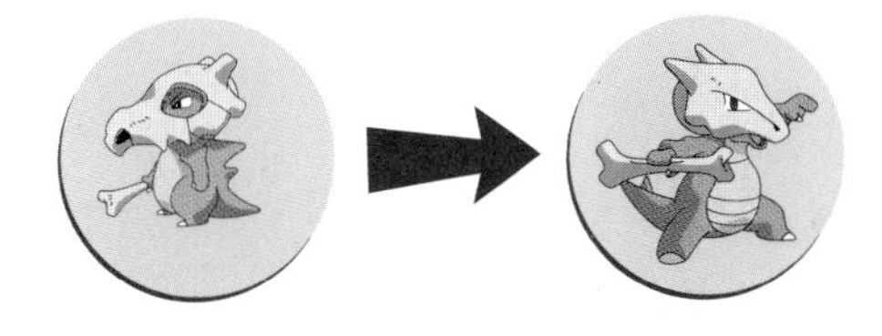

Nº 106 HITMONLEE

PRONONCIATION :
IT-MO-NE-LI

ÉLÉMENT :
COMBAT

TYPE :
COUP DE PIED

TAILLE :
1 M 47

POIDS :
50 KG

TECHNIQUES :
DOUBLE RUADE, MÉDITATION

AUTRES TECHNIQUES :
COUP DE PIED ROULANT, SAUT AVEC COUP DE PIED, SAUT ÉLEVÉ AVEC COUP DE PIED, MÉGA COUP DE PIED

FORT CONTRE :
POKÉMON NORMAL, ROCHER, DE GLACE

FAIBLE CONTRE :
POKÉMON POISON, VOLANT, SURNATUREL, INSECTE

ÉVOLUTION :
AUCUNE

« Le maniaque du coup de pied », Hitmonlee, se fie entièrement à son féroce jeu de pieds pour gagner des batailles. Hitmonlee commence par méditer afin d'accroître son pouvoir d'attaque. Ensuite, il fond sur son opposant et utilise les nombreux coups de pied dont lui seul a le secret.

Lorsque Hitmonlee est pressé, ses jambes se mettent à allonger. Il peut alors courir facilement en faisant de longs pas souples.

Extrait du Pokédex :
Hitmonlee et Hitmonchan s'entraînent au gymnase du maître de karaté. Si tu es suffisamment qualifié pour battre le maître de karaté — entraîneur de Pokémon d'expérience — dans une bataille de Pokémon, il pourrait te donner ton propre Hitmonchan ou Hitmonlee.

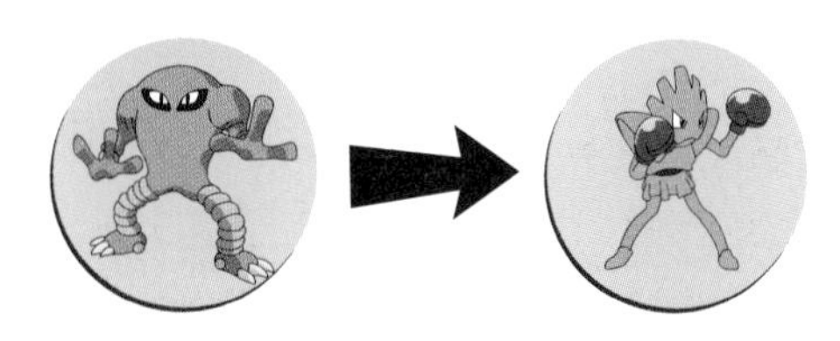

N° 107 HITMONCHAN

PRONONCIATION :
IT-MO-NE-CHA-NE

ÉLÉMENT :
COMBAT

TYPE :
COUPS DE POING

TAILLE :
1 M 38

POIDS :
50 KG

TECHNIQUES :
COUP DE COMÈTE, AGILITÉ

AUTRES TECHNIQUES :
COUP DE FEU, COUP DE GLACE, FRAPPE ÉCLAIR, MÉGA COUP, CONTRE-ATTAQUE

FORT CONTRE :
POKÉMON NORMAL, ROCHER, DE GLACE

FAIBLE CONTRE :
POKÉMON POISON, VOLANT, SURNATUREL, INSECTE

ÉVOLUTION :
AUCUNE

Contrairement à Hitmonlee, qui n'utilise que ses pieds, Hitmonchan n'utilise que ses poings pour se battre. Hitmonchan n'a pas l'air de bouger, mais ton Pokémon sentira ses attaques avant de les voir : ses coups sont plus rapides que l'éclair. Ce n'est pas une bonne idée de mettre ce Pokémon en colère!

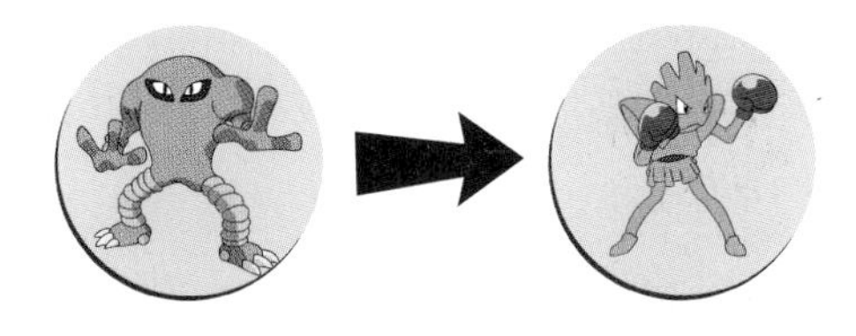

Nº 108 LICKITUNG

PRONONCIATION :
LI-KI-TON-GUE

ÉLÉMENT :
NORMAL

TYPE :
LÉCHEUR

TAILLE :
1 M 17

POIDS :
65 KG

TECHNIQUES :
ÉTOUFFEMENT, ATTAQUE SUPERSONIQUE

AUTRES TECHNIQUES :
PIÉTINEMENT, MISE HORS DE COMBAT, REPLI DÉFENSIF, COUP VIOLENT, CRI PERÇANT

FORT CONTRE :
AUCUN POKÉMON

FAIBLE CONTRE :
POKÉMON ROCHER

ÉVOLUTION
AUCUNE

Lickitung a peut-être un air amusant, mais il se bat avec sérieux. Il étourdira un adversaire avec sa technique de l'étouffement pour ensuite attaquer un maximum de cinq fois de suite avec son attaque supersonique. La longue langue de Lickitung se déroule rapidement comme celle des lézards. Quand il lèche ses ennemis, ceux-ci ressentent des picotements. Lorsque tu arrives au dernier étage de la guérite qui sépare la route Cycling de la ville de Fuchsia, assure-toi d'avoir un Slowbro à portée de la main. Tu pourras l'échanger contre Lickitung.

Extrait du Pokédex :
La langue de Lickitung fait au moins deux fois la longueur de son corps.

N° 109 KOFFING

PRONONCIATION :
CO-FI-GNE
ÉLÉMENT :
POISON
TYPE :
GAZ EMPOISONNÉ
TAILLE :
60 CM
POIDS :
1 KG
TECHNIQUES :
PLAQUAGE, BROUILLARD EMPOISONNÉ
AUTRES TECHNIQUES :
BOUE EMPOISONNÉE, ÉCRAN DE FUMÉE, AUTODESTRUCTION, BROUILLARD, EXPLOSION
FORT CONTRE :
POKÉMON INSECTE, DES CHAMPS
FAIBLE CONTRE :
POKÉMON POISON, ROCHER, FANTÔME, DE TERRE
ÉVOLUTION :
NORMALE
NIVEAU DE L'ÉVOLUTION :
35

ʼi tu es allergique aux vapeurs ɔxiques, ne te promène pas avec ˌoffing comme Pokémon, car il aime ımmagasiner plusieurs types de gaz ɔxiques en même temps dans son orps. Malheureusement, ces mauvais ıélanges font souvent en sorte que ˌoffing explose sans avertissement.

Extrait du Pokédex :
James, un des membres de Team Rocket, a déjà dit que les Koffing sentaient comme « de vieilles espadrilles imbibées de jus de pied mélangé avec des œufs pourris et des poissons morts, avec une petite touche d'odeur de mouffette! »

° 110 WEEZING

RONONCIATION :
ɔUI-ZI-GNE
LÉMENT :
ʼOISON
YPE :
ʼAZ EMPOISONNÉ
AILLE :
M 17
OIDS :
ʼ KG
ECHNIQUES :
ʼLAQUAGE, ʼROUILLARD ʼMPOISONNÉ, BOUE ʼMPOISONNÉE
AUTRES TECHNIQUES :
ÉCRAN DE FUMÉE, AUTODESTRUCTION, BROUILLARD, EXPLOSION
FORT CONTRE :
POKÉMON INSECTE, DES CHAMPS
FAIBLE CONTRE :
POKÉMON POISON, ROCHER, FANTÔME, DE TERRE
ÉVOLUTION :
NORMALE

Lorsque deux types de gaz empoisonné se rencontrent, un Koffing deviendra un Weezing. Un Weezing est beaucoup plus lourd et solide qu'un Koffing. C'est parce qu'il est fait de liquide toxique plutôt que de gaz.

Nº 111 RHYHORN

Les Rhyhorn sont incroyablement forts et peuvent encaisser les pires attaques. C'est parce que leurs énormes os sont 1 000 fois plus résistants que les os humains. Sans aucun effort, Rhyhorn peut transporter sur son dos de très gros objets, même un autobus scolaire s'il le veut.

PRONONCIATION :
RI-OR-NE
ÉLÉMENT :
TERRE/ROCHER
TYPE :
PICS
TAILLE :
98 CM
POIDS :
114 KG
TECHNIQUES :
COUP DE CORNE
AUTRES TECHNIQUES :
PIÉTINEMENT, COUP DE QUEUE, ATTAQUE VIOLENTE, FORAGE AVEC LA CORNE, REGARD MAUVAIS, RENVERSEMENT
FORT CONTRE :
POKÉMON ÉLECTRIQUE, POISON, ROCHER, VOLANT, DE FEU, DE GLACE
FAIBLE CONTRE :
POKÉMON DES CHAMPS, DE COMBAT, DE TERRE
ÉVOLUTION :
NORMALE
NIVEAU DE L'ÉVOLUTION :
42

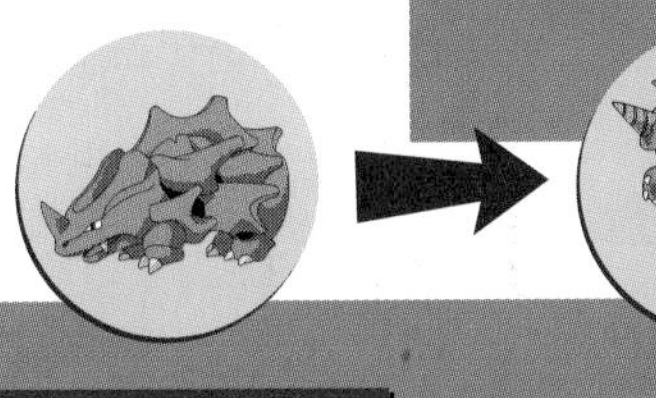

Nº 112 RHYDON

Mais cela n'est rien si on le compare à Rhydon. Ce Pokémon vit dans les entrailles de la terre, où la lave en fusion atteint des températures allant jusqu'à 2000 °C. Sa peau, qui est son armure, est si épaisse qu'elle le protège contre la température et la pression extrêmes qui se retrouvent sous la surface de la terre. On a comparé l'attaque de renversement de Rhydon à la sensation d'être écrasé par un tank!

PRONONCIATION :
RI-DON
ÉLÉMENT :
TERRE/ROCHER
TYPE :
FOREUR
TAILLE :
1 M 87
POIDS :
119 KG
TECHNIQUES :
COUP DE CORNE, PIÉTINEMENT, COUP DE QUEUE, ATTAQUE VIOLENTE
AUTRES TECHNIQUES :
FORAGE AVEC LA CORNE, REGARD MAUVAIS, RENVERSEMENT
FORT CONTRE :
POKÉMON ÉLECTRIQUE, POISON, ROCHER, VOLANT, DE FEU, DE GLACE
FAIBLE CONTRE :
POKÉMON DES CHAMPS, DE COMBAT, DE TERRE
ÉVOLUTION :
NORMALE

N° 113 CHANSEY

PRONONCIATION :
CHAN-SÉ
ÉLÉMENT :
NORMAL
TYPE :
ŒUF
TAILLE :
108 CM
POIDS :
34 KG
TECHNIQUES :
COUPS RÉPÉTÉS, DOUBLE CLAQUE
AUTRES TECHNIQUES :
CHANSONS, GROGNEMENTS, RÉDUCTION, REPLI DÉFENSIF, ÉCRAN DE LUMIÈRE, DOUBLE TRANCHANT
FORT CONTRE :
AUCUN POKÉMON
FAIBLE CONTRE :
POKÉMON ROCHER
ÉVOLUTION :
AUCUNE

Ce Pokémon étonnant et rare te fera un excellent ami. Ses pouvoirs magiques apportent le bonheur à l'entraîneur qui réussit à le capturer.

Extrait du Pokédex :
Les Chansey sont d'excellentes infirmières. Tu les retrouveras dans la plupart des centres des Pokémon où ils s'occupent des Pokémon malades et blessés.

Nº 114 TANGELA

PRONONCIATION :
TAN-GÉ-LA
ÉLÉMENT :
CHAMP
TYPE :
VIGNE
TAILLE :
98 CM
POIDS :
35 KG
TECHNIQUES :
RESSERREMENT, RALENTISSEMENT
AUTRES TECHNIQUES :
ABSORPTION, POUDRE EMPOISONNÉE, POUDRE PARALYSANTE, POUDRE SOMNIFÈRE, COUP VIOLENT, CROISSANCE
FORT CONTRE :
POKÉMON ROCHER, D'EAU, DE TERRE
FAIBLE CONTRE :
POKÉMON POISON, VOLANT, INSECTE, DRAGON, DE FEU, DES CHAMPS
ÉVOLUTION :
AUCUNE

Tangela a l'air d'un bol de nouilles sur deux pattes. Tout son corps est recouvert de larges lianes semblables à des algues qui bougent lorsqu'il se déplace. Dans un carré de gazon épais au sud de la ville de Pallet, tu pourrais trouver un Tangela, un Pokémon rare. Il peut être extrêmement timide, mais sois patient. Tangela vaut la peine qu'on le cherche un peu.

Extrait du Pokédex :
Un Pokémon ne peut se rappeler que quatre techniques à la fois. Lorsqu'il apprend une nouvelle technique, ton Pokémon doit oublier une des techniques qu'il a déjà apprises. Fais le bon choix!

N° 115 KANGASKHAN

PRONONCIATION :
KAN-GAS-KA-NE

ÉLÉMENT :
NORMAL

TYPE :
PARENT

TAILLE :
2 M 17

POIDS :
79 KG

TECHNIQUES :
COUP DE COMÈTE, COLÈRE

AUTRES TECHNIQUES :
MORSURES, COUP DE QUEUE, MÉGA COUP, REGARD MAUVAIS, COUP ÉTOURDISSANT

FORT CONTRE :
AUCUN POKÉMON

FAIBLE CONTRE :
POKÉMON ROCHER

ÉVOLUTION :
AUCUNE

Kangaskhan transporte son bébé dans une poche ventrale spéciale. Cela le rend encore plus dangereux pendant les combats. Kangaskhan attaquera férocement et sans avertissement s'il croit que son bébé est en danger. Approche-le avec une extrême prudence! Quant au bébé, il reste habituellement dans la poche protectrice de ses parents jusqu'à ce qu'il ait trois ans. À un certain moment, les Kangaskhan étaient presque éteints, mais ils sont maintenant protégés par la loi et vivent dans la Zone Safari.

N° 116 HORSEA

À manipuler avec soin. Horsea est un peu fragile. Il peut très bien se défendre, mais cela ne veut pas dire qu'il peut faire face à une attaque importante. Parfois, il tire sur des insectes à partir de la surface de l'eau avec des jets d'encre. Il est donc surtout efficace contre les Pokémon insectes.

PRONONCIATION :
OR-SI
ÉLÉMENT :
EAU
TYPE :
DRAGON
TAILLE :
40 CM
POIDS :
8 KG
TECHNIQUES :
BULLES
AUTRES TECHNIQUES :
ÉCRAN DE FUMÉE, REGARD MAUVAIS, JET D'EAU, AGILIT POMPE À EAU
FORT CONTRE :
POKÉMON DE FEU DE TERRE, ROCHE
FAIBLE CONTRE :
POKÉMON ÉLECTRIQUE, DRAGON, D'EAU, DES CHAMPS
ÉVOLUTION :
NORMALE
NIVEAU DE L'ÉVOLUTION :
32

N° 117 SEADRA

PRONONCIATION :
SI-DRA
ÉLÉMENT :
EAU
TYPE :
DRAGON
TAILLE :
1 M 18
POIDS :
25 KG
TECHNIQUES :
BULLES, ÉCRAN DE FUMÉE, REGARD MAUVAIS, JET D'EAU
AUTRES TECHNIQUES :
AGILITÉ, POMPE À EAU
FORT CONTRE :
POKÉMON ROCHER, DE FEU, DE TERRE
FAIBLE CONTRE :
POKÉMON ÉLECTRIQUE, DRAGON, D'EAU, DES CHAMPS
ÉVOLUTION :
NORMALE

Lorsque Horsea évolue, ses ailes plumeuses se transforment en nageoires pointues. Il devient Seadr Celui-ci utilise ses pics pour transpercer la peau de presque tou ses adversaires — et pour nager à reculons. Attention! Pas moyen de s'en sortir!

Nº 118 GOLDEEN

On appelle Goldeen la reine des eaux. Sa queue ondulante flotte derrière elle comme un vêtement de cérémonie.

PRONONCIATION :
GO-LE-DI-NE

ÉLÉMENT :
EAU

TYPE :
POISSON ROUGE

TAILLE :
62 CM

POIDS :
15 KG

TECHNIQUES :
COUP DE BEC, COUP DE QUEUE

AUTRES TECHNIQUES :
ATTAQUE SUPERSONIQUE, COUP DE CORNE, ATTAQUE VIOLENTE, CHUTE D'EAU, FORAGE AVEC LA CORNE, AGILITÉ

FORT CONTRE :
POKÉMON ROCHER, DE FEU, DE TERRE

FAIBLE CONTRE :
POKÉMON ÉLECTRIQUE, DRAGON, D'EAU, DES CHAMPS

ÉVOLUTION :
NORMALE

NIVEAU DE L'ÉVOLUTION :
33

° 119 SEAKING

RONONCIATION :
I-KI-GNE

LÉMENT :
AU

YPE :
OISSON ROUGE

AILLE :
M 27

OIDS :
39 KG

ECHNIQUES :
COUP DE BEC, COUP E QUEUE, ATTAQUE UPERSONIQUE

AUTRES TECHNIQUES :
ATTAQUE VIOLENTE, CHUTE D'EAU, FORAGE AVEC LA CORNE, AGILITÉ

FORT CONTRE :
POKÉMON DE FEU, DE TERRE, ROCHER

FAIBLE CONTRE :
POKÉMON ÉLECTRIQUE, DRAGON, D'EAU, DES CHAMPS

ÉVOLUTION :
NORMALE

En évoluant, Goldeen passe de reine des eaux, à roi de la mer en devenant Seaking. Ses techniques de bataille avec sa corne se raffinent. À l'automne, on peut voir des Seaking remonter vigoureusement le cours des rivières et des cours d'eau pour la saison du frai.

Nº 120 STARYU

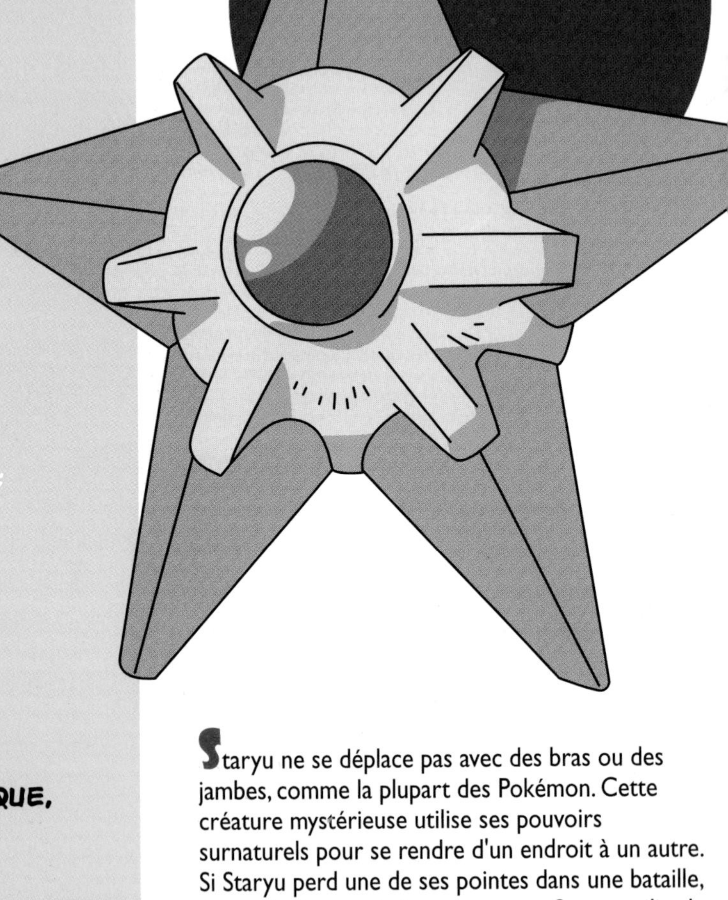

PRONONCIATION :
STA-RI-OU

ÉLÉMENT :
EAU

TYPE :
ÉTOILE

TAILLE :
78 CM

POIDS :
124 KG

TECHNIQUES :
PLAQUAGE

AUTRES TECHNIQUES :
JET D'EAU, DURCISSEMENT, RÉCUPÉRATION, DIMINUTION, ÉCRAN DE LUMIÈRE, POMPE À EAU

FORT CONTRE :
POKÉMON ROCHER, DE FEU, DE TERRE

FAIBLE CONTRE :
POKÉMON ÉLECTRIQUE, DRAGON, D'EAU, DES CHAMPS

ÉVOLUTION :
PIERRE D'EAU

Staryu ne se déplace pas avec des bras ou des jambes, comme la plupart des Pokémon. Cette créature mystérieuse utilise ses pouvoirs surnaturels pour se rendre d'un endroit à un autre. Si Staryu perd une de ses pointes dans une bataille, il peut facilement la faire repousser. Staryu utilise la technique du mirage pour améliorer ses chances d'éviter une attaque.

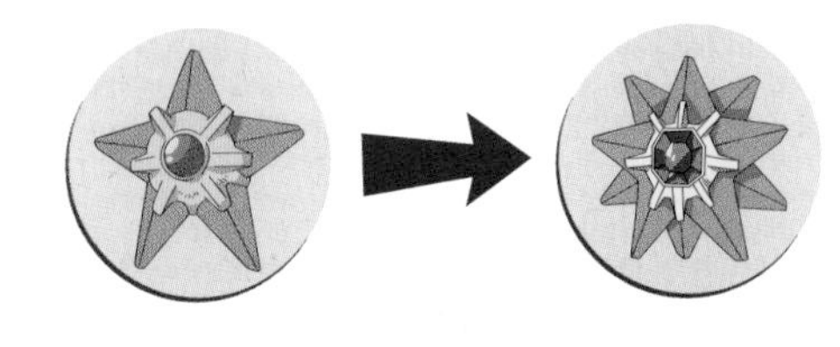

N° 121 STARMIE

PRONONCIATION :
STAR-MI
ÉLÉMENT :
EAU/SURNATUREL
TYPE :
ÉTOILE
TAILLE :
108 CM
POIDS :
79 KG
TECHNIQUES :
PLAQUAGE, JET D'EAU, DURCISSEMENT
AUTRES TECHNIQUES :
AUCUNE
FORT CONTRE :
POKÉMON ROCHER, POISON, DE FEU, DE TERRE, DE COMBAT
FAIBLE CONTRE :
POKÉMON ÉLECTRIQUE, DRAGON, SURNATUREL, D'EAU, DES CHAMPS
ÉVOLUTION :
PIERRE D'EAU

Lorsque l'on voit Starmie, on reste impressionné. La pierre qui se trouve en son centre a une très grande valeur. Elle brille des sept couleurs de l'arc-en-ciel. Starmie ne peut se déplacer aussi rapidement et facilement que sa forme non évoluée, mais sa peau épaisse lui fournit une grande protection.

Extrait du Pokédex :
Starmie est le Pokémon que Misty préfère utiliser dans les batailles.

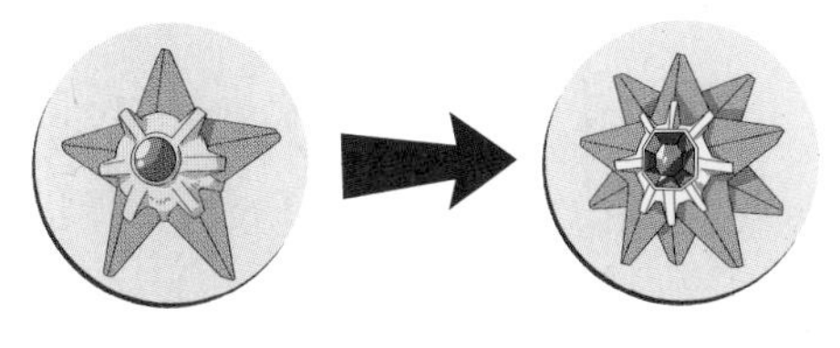

N° 122 MR. MIME

PRONONCIATION :
MIS-TÈ-RE MI-ME

ÉLÉMENT :
SURNATUREL

TYPE :
BARRIÈRE

TAILLE :
128 CM

POIDS :
54 KG

TECHNIQUES :
CONFUSION, BARRIÈRE

AUTRES TECHNIQUES :
ÉCRAN DE LUMIÈRE, DOUBLE CLAQUE, MÉDITATION, SUBSTITUTION

FORT CONTRE :
POKÉMON POISON, DE COMBAT

FAIBLE CONTRE :
POKÉMON SURNATUREL

ÉVOLUTION :
AUCUNE

Mr. Mime ne ressemble à aucun autre Pokémon. Il fait des mimes et n'aime pas qu'on l'interrompe. Si un Pokémon le provoque, Mr. Mime lui donnera des claques avec ses larges mains. Ses pouvoirs surnaturels s'amplifient avec le temps. Où peut-on trouver un Pokémon aussi particulier? Il suffit de se rendre à la maison qui se trouve sur la route 2, juste à la sortie de la ville de Viridian. On dit qu'il y a là quelqu'un qui échangera un Abra contre un Mr. Mime.

Extrait du Pokédex :
Avec sa capacité de substitution, Mr. Mime peut se cloner, faire une copie de lui-même. Mr. Mime peut faire un clone de lui-même, et chaque clone obtient un quart de l'énergie qu'avait Mr. Mime avant le clonage.

N° 123 SCYTHER

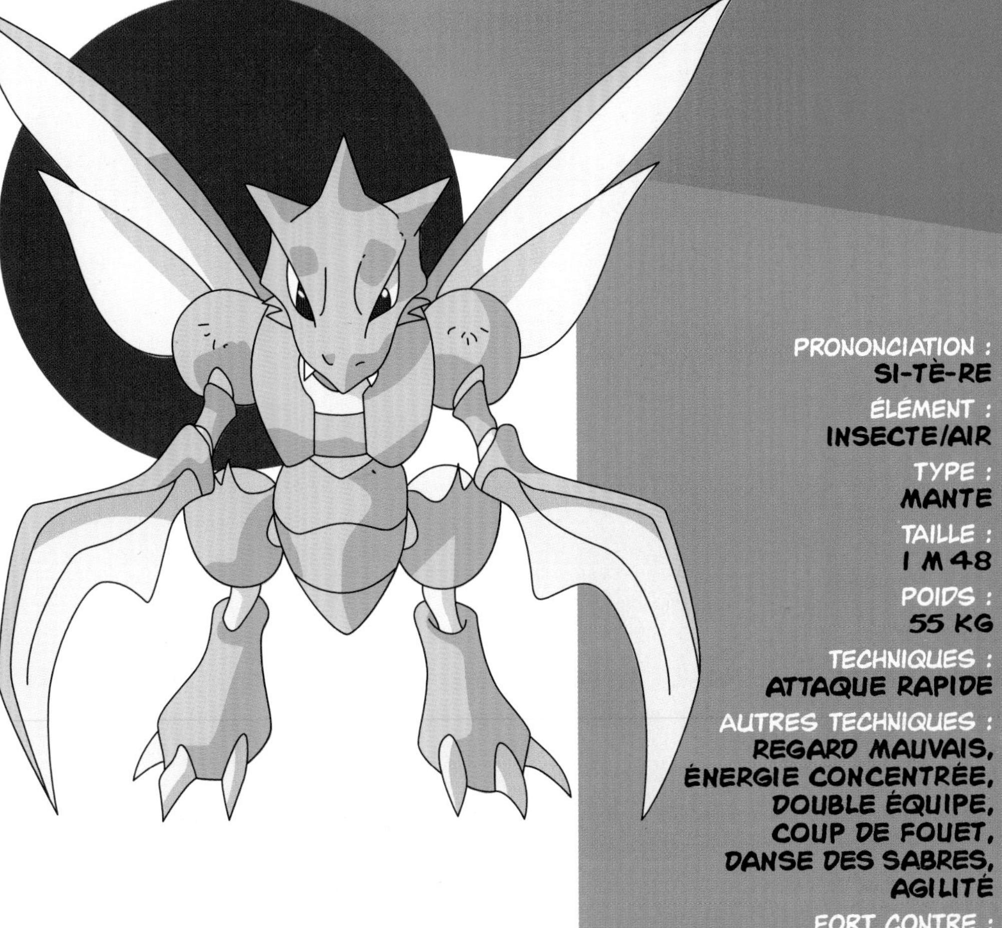

PRONONCIATION :
SI-TÈ-RE
ÉLÉMENT :
INSECTE/AIR
TYPE :
MANTE
TAILLE :
1 M 48
POIDS :
55 KG
TECHNIQUES :
ATTAQUE RAPIDE
AUTRES TECHNIQUES :
REGARD MAUVAIS, ÉNERGIE CONCENTRÉE, DOUBLE ÉQUIPE, COUP DE FOUET, DANSE DES SABRES, AGILITÉ
FORT CONTRE :
POKÉMON SURNATUREL, INSECTE, DES CHAMPS
FAIBLE CONTRE :
POKÉMON FANTÔME, VOLANT, ÉLECTRIQUE, ROCHER, DE FEU
ÉVOLUTION :
AUCUNE

Ce Pokémon terrifiant n'est peut-être qu'un insecte, mais il semble avoir beaucoup en commun avec les dinosaures. Ses ailes coupantes comme des rasoirs rendent sa technique du coup de fouet meurtrière. Ajoutez à cela une vitesse et une précision phénoménales, et l'ennemi en prend pour son rhume! Il faut éviter ce Pokémon à tout prix si tu es un entraîneur débutant.

Nº 124 JYNX

PRONONCIATION :
JINKS

ÉLÉMENT :
GLACE/SURNATUREL

TYPE :
FORME HUMAINE

TAILLE :
1 M 37

POIDS :
40 KG

TECHNIQUES :
COUPS RÉPÉTÉS, BAISER ARDENT

AUTRES TECHNIQUES :
CHANSONS, DOUBLE CLAQUE, COUP DE GLACE, MÉDITATION, BLIZZARD

FORT CONTRE :
POKÉMON DES CHAMPS, DE TERRE, VOLANT, ROCHER, DRAGON, POISON, DE COMBAT

FAIBLE CONTRE :
POKÉMON SURNATUREL, DE FEU, D'EAU, DE GLACE

ÉVOLUTION :
AUCUNE

Dans la ville de Cerulean vit un homme qui est prêt à échanger un Poliwhirl commun contre ce Pokémon rare et bizarre. Jynx est une étrange combinaison de Pokémon de glace et de Pokémon surnaturel. Rien qu'en balançant les hanches, Jynx peut faire danser tout le monde avec lui. Avec son baiser ardent, Jynx endort ses adversaires.

Nº 125 ELECTABUZZ

PRONONCIATION :
É-LEC-TA-BOZ
ÉLÉMENT :
ÉLECTRICITÉ
TYPE :
ÉLECTRICITÉ
TAILLE :
107 CM
POIDS :
30 KG
TECHNIQUES :
ATTAQUE RAPIDE, REGARD MAUVAIS
AUTRES TECHNIQUES :
COUP DE TONNERRE, CRI PERÇANT, FRAPPE ÉCLAIR, ÉCRAN DE LUMIÈRE, TONNERRE
FORT CONTRE :
POKÉMON VOLANT, D'EAU
FAIBLE CONTRE :
POKÉMON ÉLECTRIQUE, DRAGON, DES CHAMPS
ÉVOLUTION :
AUCUNE

Electabuzz est attiré par les sources d'énergie puissantes. Il n'est donc pas étonnant de le retrouver habituellement près des centrales électriques. Fais attention! S'il se sauve, Electabuzz peut causer des pannes d'électricité dans les grandes villes!

Extrait du Pokédex :
CONSEIL DE MAGASINAGE :
Le grand magasin de la ville de Celadon a tout pour répondre à tes besoins concernant tes Pokémon. C'est l'endroit rêvé pour reconstituer ta trousse de premiers soins, épargner sur les vitamines ou acheter une gâterie à tes Pokémon.

Nº 126 MAGMAR

PRONONCIATION :
MAG-MAR
ÉLÉMENT :
FEU
TYPE :
FLAMME
TAILLE :
1 M 27
POIDS :
44 KG
TECHNIQUES :
BRAISE
AUTRES TECHNIQUES :
REGARD MAUVAIS,
RAYON DE CONFUSION,
COUP DE FEU,
ÉCRAN DE FUMÉE,
BROUILLARD EMPOISONNÉ,
LANCE-FLAMMES
FORT CONTRE :
POKÉMON INSECTE,
DES CHAMPS, DE GLACE
FAIBLE CONTRE :
POKÉMON ROCHER,
DRAGON, DE FEU,
D'EAU
ÉVOLUTION :
AUCUNE

Le corps des Magmar brûle en permanence et est d'un bel orange vif. Ils sont difficiles à distinguer dans un feu, puisque la couleur de leur corps est exactement la même que celle des flammes. C'est une cachette parfaite pour eux!

N° 127 PINSIR

PRONONCIATION :
PIN-SIR

ÉLÉMENT :
INSECTE

TYPE :
SCARABÉE

TAILLE :
1 M 22

POIDS :
54 KG

TECHNIQUES :
PINCE-ÉTAU

AUTRES TECHNIQUES :
SECOUSSE SISMIQUE, GUILLOTINE, ÉNERGIE CONCENTRÉE, DURCISSEMENT, COUP DE FOUET, DANSE DES SABRES

FORT CONTRE :
POKÉMON SURNATUREL, DES CHAMPS

FAIBLE CONTRE :
POKÉMON FANTÔME, VOLANT, DE COMBAT, DE FEU

ÉVOLUTION :
AUCUNE

Pour gagner une bataille, Pinsir se fie seulement à sa très grande force et à ses grosses pinces. S'il ne peut écraser son adversaire dans ses pinces, il fera tourner son ennemi au-dessus de sa tête et le lancera de toutes ses forces. Ton Pokémon pourrait même s'évanouir à la seule vue des terribles pinces de Pinsir.

Extrait du Pokédex :
Il n'y pas de mauvais Pokémon. Certains ont des points faibles et des défauts, mais les Pokémon ne décident jamais de faire quelque chose de mal. Ce sont les maîtres des Pokémon qui leur ordonnent de faire du mal. Une exception cependant : Meowth, un des Pokémon de Team Rocket.

Nº 128 TAUROS

PRONONCIATION :
TO-ROSSE

ÉLÉMENT :
NORMAL

TYPE :
TAUREAU SAUVAGE

TAILLE :
1 M 37

POIDS :
88 KG

TECHNIQUES :
PLAQUAGE

AUTRES TECHNIQUES :
PIÉTINEMENT, COUP DE QUEUE, REGARD MAUVAIS, COLÈRE, RENVERSEMENT

FORT CONTRE :
AUCUN POKÉMON

FAIBLE CONTRE :
POKÉMON ROCHER, FANTÔME

ÉVOLUTION :
AUCUNE

¡O*lé!* Tauros est aussi têtu qu'un taureau — et c'est peu dire. Son tempérament violent en fait un Pokémon difficile à maîtriser, même pour un entraîneur d'expérience. Pour attaquer un ennemi, Tauros le charge violemment tout en le fouettant avec sa longue queue.

Nº 129 MAGIKARP

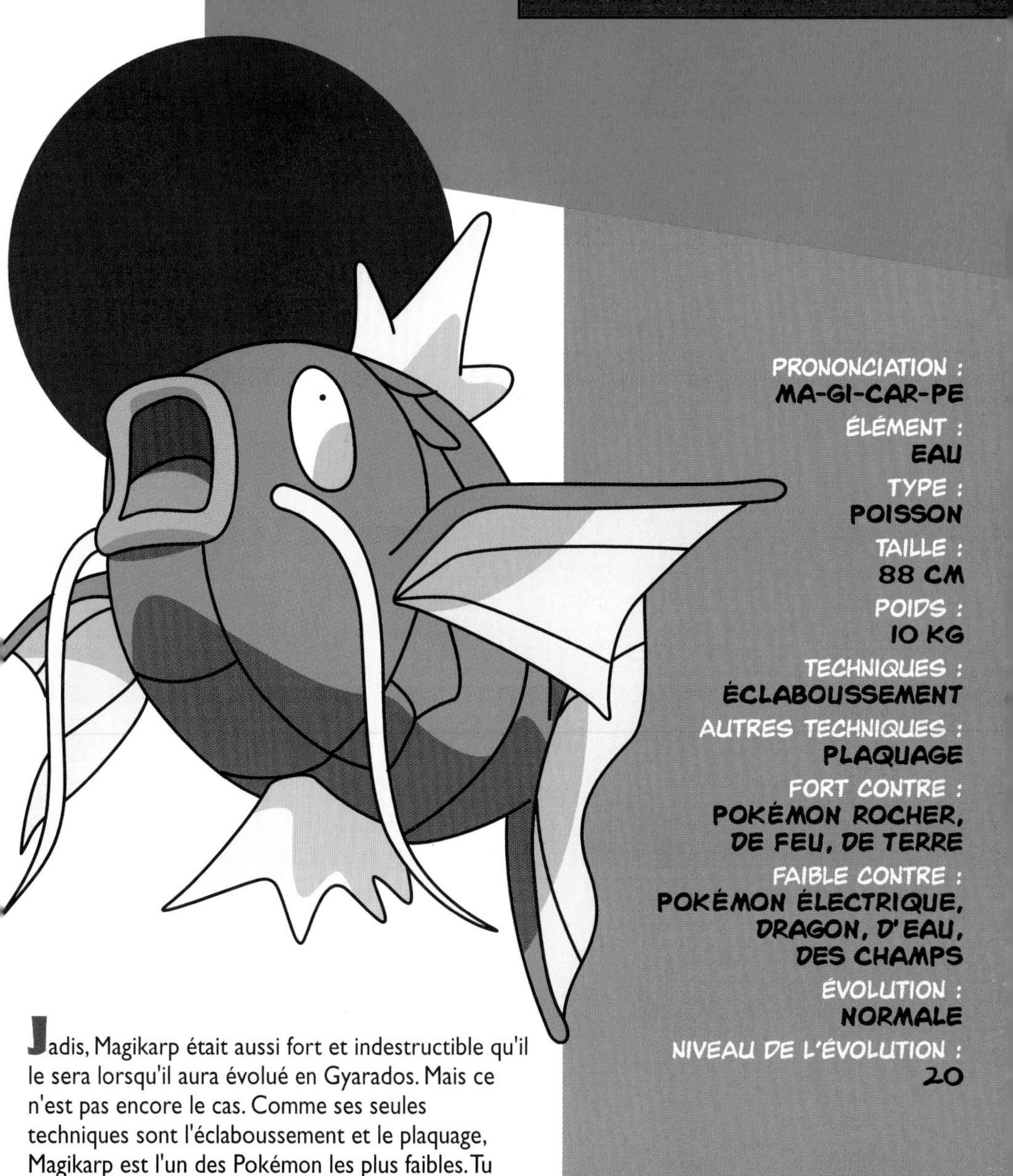

PRONONCIATION :
MA-GI-CAR-PE

ÉLÉMENT :
EAU

TYPE :
POISSON

TAILLE :
88 CM

POIDS :
10 KG

TECHNIQUES :
ÉCLABOUSSEMENT

AUTRES TECHNIQUES :
PLAQUAGE

FORT CONTRE :
POKÉMON ROCHER, DE FEU, DE TERRE

FAIBLE CONTRE :
POKÉMON ÉLECTRIQUE, DRAGON, D'EAU, DES CHAMPS

ÉVOLUTION :
NORMALE

NIVEAU DE L'ÉVOLUTION :
20

Jadis, Magikarp était aussi fort et indestructible qu'il le sera lorsqu'il aura évolué en Gyarados. Mais ce n'est pas encore le cas. Comme ses seules techniques sont l'éclaboussement et le plaquage, Magikarp est l'un des Pokémon les plus faibles. Tu peux pêcher un Magikarp presque n'importe où et commencer à l'entraîner immédiatement pour le faire évoluer.

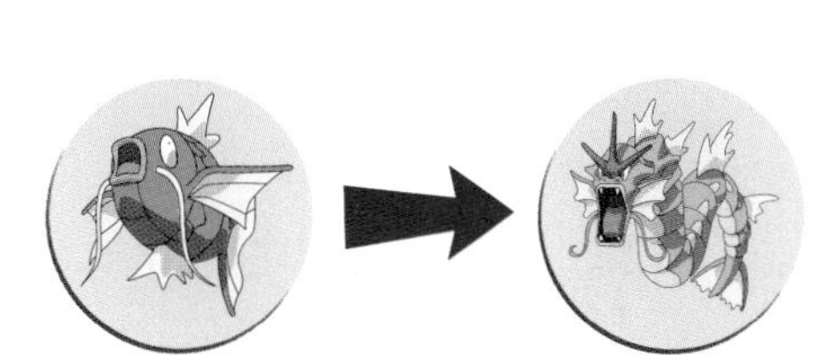

Nº 130 GYARADOS

PRONONCIATION :
GI-A-RA-DOSSE
ÉLÉMENT :
EAU/AIR
TYPE :
ATROCE
TAILLE :
6 M 40
POIDS :
233 KG
TECHNIQUES :
AUCUNE
AUTRES TECHNIQUES :
MORSURES,
COLÈRE
DE DRAGON,
REGARD MAUVAIS,
POMPE À EAU,
HYPER RAYON
FORT CONTRE :
POKÉMON INSECTE,
DE FEU, DE TERRE,
DE COMBAT
FAIBLE CONTRE :
POKÉMON ÉLECTRIQUE,
DRAGON, D'EAU
ÉVOLUTION :
NORMALE

On a du mal à croire que cette grosse créature semblable à un serpent est la forme évoluée du faible Magikarp. Ce qui est encore plus étonnant, c'est qu'il est passé d'un élément unique, l'eau, à un double élément, l'eau et l'air. Cela donne à ce rare Pokémon des pouvoirs incroyables. Gyarados a mauvais caractère — il faut l'approcher avec prudence. Ses crocs peuvent réduire des pierres en poussière, et ses écailles sont plus dures que l'acier. Lorsqu'il se met en colère, Gyarados peut à lui seul détruire une ville entière. Sa technique de colère de dragon peut créer des cyclones et de terribles tempêtes en mer. Gyarados fait figure de légende parmi les marins.

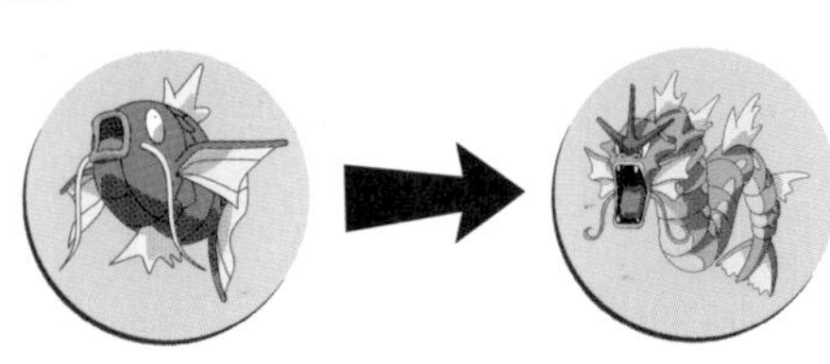

Nº 131 LAPRAS

PRONONCIATION :
LA-PRASSE
ÉLÉMENT :
EAU
TYPE :
TRANSPORT
TAILLE :
2 M 45
POIDS :
218 KG
TECHNIQUES :
JET D'EAU, GROGNEMENTS
AUTRES TECHNIQUES :
CHANSONS, BRUME, COUP AVEC LE CORPS, RAYON DE CONFUSION, FAISCEAU GLACIAL, POMPE À EAU
FORT CONTRE :
POKÉMON VOLANT, ROCHER, DE TERRE
FAIBLE CONTRE :
POKÉMON ÉLECTRIQUE, D'EAU, DE GLACE
ÉVOLUTION :
AUCUNE

Malheureusement, les Lapras sont presque éteints. Mais ils ne sont pas amers pour autant. Ces douces créatures qui ont bon caractère se font un plaisir de transporter les passagers d'une rive à l'autre des petits plans d'eau.

Extrait du Pokédex :
Les Pokémon les plus lourds sont les Golem, qui pèsent 280 kg, les Gyarados, qui en pèsent 233, et les Snorlax qui, croyez-le ou non, pèsent 456 kg! Et ils ne sont pas faciles à attraper. Pour capturer ces Pokémon poids lourds, tu auras besoin d'une balle super ou d'une balle ultra.

Nº 132 DITTO

PRONONCIATION :
DI-TO
ÉLÉMENT :
NORMAL
TYPE :
TRANSFORMABLE
TAILLE :
30 CM
POIDS :
4 KG
TECHNIQUES :
TRANSFORMATION
AUTRES TECHNIQUES :
AUCUNE
FORT CONTRE :
AUCUN POKÉMON
FAIBLE CONTRE :
POKÉMON ROCHER
ÉVOLUTION :
AUCUNE

Avec Ditto, prépare-toi à avoir des ennuis! Il a l'étonnante capacité de copier l'ADN (le code génétique) de son adversaire. Puis, il réarrange ses propres cellules et se transforme instantanément en une copie conforme de son ennemi — la même apparence, mais également les mêmes pouvoirs. La transformation est sa seule technique, mais c'est tout ce dont Ditto a besoin. Une fois qu'il a pris la forme d'un autre Pokémon, il peut utiliser les meilleures techniques de celui-ci. Mais sois prudent — personne ne sait exactement si Ditto peut aussi prendre les niveaux de pouvoir de son adversaire.

N° 133 EEVEE

Eevee est un Pokémon vraiment unique. Si tu veux savoir tous les détails sur lui, vas voir Bill, le pokémaniaque, qui cache les dossiers sur les Eevee dans le manoir de Celadon. N'oublie pas que l'ADN des Eevee n'est pas normal. Ceux-ci n'évoluent pas d'eux-mêmes comme les autres Pokémon. Trois pierres d'éléments bien spéciales — la pierre d'eau, de tonnerre et de feu —peuvent déclencher un changement dans ce minuscule Pokémon. Chaque pierre permet aux Eevee de devenir un Pokémon d'un élément différent. Sous leur nouvelle forme, ils continueront à devenir de plus en plus forts.

PRONONCIATION :
I-VI

ÉLÉMENT :
NORMAL

TYPE :
ÉVOLUTION

TAILLE :
30 CM

POIDS :
6 KG

TECHNIQUES :
PLAQUAGE, JET DE SABLE

AUTRES TECHNIQUES :
ATTAQUE RAPIDE, COUP DE QUEUE, MORSURES, RENVERSEMENT

FORT CONTRE :
AUCUN POKÉMON

FAIBLE CONTRE :
POKÉMON ROCHER

ÉVOLUTION :
PIERRE D'EAU, DE TONNERRE ET DE FEU

Nº 134 VAPOREON

PRONONCIATION :
VA-PO-RÉ-ON
ÉLÉMENT :
EAU
TYPE :
JET DE BULLES
TAILLE :
98 CM
POIDS :
29 KG
TECHNIQUES :
PLAQUAGE,
JET DE SABLE
AUTRES TECHNIQUES :
ATTAQUE RAPIDE,
JET D'EAU,
COUP DE QUEUE,
MORSURES, ARMURE
D'ACIDE, BROUILLARD,
BRUME, POMPE À EAU
FORT CONTRE :
POKÉMON ROCHER,
DE FEU, DE TERRE
FAIBLE CONTRE :
POKÉMON ÉLECTRIQUE,
DRAGON, D'EAU,
DES CHAMPS
ÉVOLUTION :
PIERRE D'EAU

Vaporeon est le Pokémon de jet de bulles. La pierre d'eau permet au Eevee de devenir un Vaporeon, un Pokémon d'eau. Vaporeon habite près de l'eau. Comme sa longue et magnifique queue se termine par une nageoire, bien des gens le prennent pour une sirène. Ce Pokémon talentueux peut se diluer dans l'eau pour se soustraire au regard de son adversaire.

Nº 135 JOLTEON

Avec une pierre de tonnerre, Eevee se change en un Pokémon de choc, Jolteon. Cette créature accumule les atomes ayant une charge négative dans l'atmosphère. Elle peut les utiliser pour lancer des éclairs de 10 000 volts! Lorsque Jolteon est en colère, les poils de son corps se changent en épingles qu'il peut projeter vers son adversaire.

PRONONCIATION :
JOL-TÉ-ON
ÉLÉMENT :
ÉLECTRICITÉ
TYPE :
ÉCLAIR
TAILLE :
77 CM
POIDS :
24 KG
TECHNIQUES :
PLAQUAGE,
JET DE SABLE
AUTRES TECHNIQUES :
ATTAQUE RAPIDE,
COUP DE TONNERRE,
COUP DE QUEUE,
ONDE DE CHOC,
DOUBLE RUADE,
AGILITÉ,
BOMBARDEMENT
D'ÉPINGLES,
TONNERRE
FORT CONTRE :
POKÉMON VOLANT,
D'EAU
FAIBLE CONTRE :
POKÉMON
ÉLECTRIQUE,
DRAGON, DE TERRE,
DE CHAMP
ÉVOLUTION :
PIERRE
DE TONNERRE

Nº 136 FLAREON

PRONONCIATION :
FLA-RÉ-ON
ÉLÉMENT :
FEU
TYPE :
FLAMME
TAILLE :
63 CM
POIDS :
25 KG
TECHNIQUES :
PLAQUAGE,
JET DE SABLE
AUTRES TECHNIQUES :
ATTAQUE RAPIDE,
BRAISE, COUP DE
QUEUE, MORSURES,
REGARD MAUVAIS,
TOURBILLON DE FEU,
COLÈRE, LANCE-
FLAMMES
FORT CONTRE :
POKÉMON INSECTE,
DES CHAMPS, DE
GLACE
FAIBLE CONTRE :
POKÉMON ROCHER,
DRAGON, DE FEU,
D'EAU
ÉVOLUTION :
PIERRE DE FEU

La pierre de feu permet de transformer Eevee en Flareon. Cet ardent Pokémon emmagasine l'énergie thermique du soleil dans son corps, qui peut atteindre des températures dépassant les 1 600 °. Ensuite, vaut mieux se mettre à l'abri! Les pouvoirs de feu de Flareon sont dévastateurs! Avec sa technique qui consiste en une flamme qu'il projette à partir d'une poche interne, Flareon est probablement le plus fort de toutes les créatures qui évoluent à partir d'Eevee.

Nº 137 PORYGON

PRONONCIATION :
PO-RI-GON

ÉLÉMENT :
NORMAL

TYPE :
VIRTUEL

TAILLE :
78 CM

POIDS :
36 KG

TECHNIQUES :
PLAQUAGE, COUPURES, CONVERSION

AUTRES TECHNIQUES :
FAISCEAUX PSYCHIQUES, DURCISSEMENT, AGILITÉ, TRIPLE ATTAQUE,

FORT CONTRE :
AUCUN POKÉMON

FAIBLE CONTRE :
POKÉMON ROCHER

ÉVOLUTION :
AUCUNE

Le corps de Porygon ressemble à un cristal et a été entièrement créé par ordinateur — cela veut dire qu'il est fait de codes informatiques, comme un personnage de jeu vidéo. Il vit et se déplace librement dans le cyber espace. Certains collectionneurs préfèrent montrer leur Porygon plutôt que de l'utiliser dans des batailles.

Nº 138 OMANYTE

Les Omanyte sont éteints depuis
des milliers d'années, mais grâce à la
technologie moderne, les
scientifiques ont pu ramener à la vie
ces Pokémon préhistoriques. Tu dois
apporter un fossile Hélix au
laboratoire des Pokémon de l'Île de
Cinnabar. Les scientifiques qui y
travaillent peuvent fabriquer un
Omanyte vivant à partir d'un fossile.

PRONONCIATION :
O-MA-NITE

ÉLÉMENT :
ROCHER/EAU

TYPE :
COLIMAÇON

TAILLE :
40 CM

POIDS :
8 KG

TECHNIQUES :
JET D'EAU, RETRAIT

AUTRES TECHNIQUES :
COUP DE CORNE, REGARD MAUVAIS, BOMBARDEMENT DE PICS, POMPE À EAU

FORT CONTRE :
POKÉMON DE FEU, DE GLACE, VOLANT, INSECTE, ROCHER

FAIBLE CONTRE :
POKÉMON DE COMBAT, D'EAU, ÉLECTRIQUE, DES CHAMPS, DRAGON

ÉVOLUTION :
NORMALE

NIVEAU DE L'ÉVOLUTION :
40

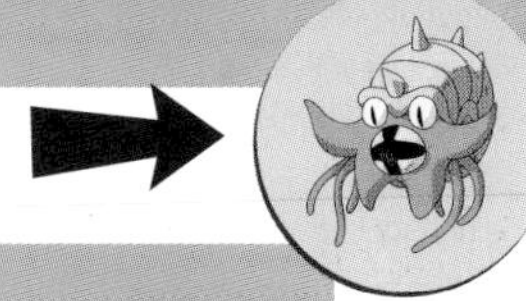

º 139 OMASTAR

PRONONCIATION :
O-MASSE-TA-RE

ÉLÉMENT :
ROCHER/EAU

TYPE :
COLIMAÇON

TAILLE :
98 CM

POIDS :
35 KG

TECHNIQUES :
JET D'EAU, RETRAIT, COUP DE CORNE

AUTRES TECHNIQUES :
REGARD MAUVAIS, BOMBARDEMENT DE PICS, POMPE À EAU

FORT CONTRE :
POKÉMON VOLANT, INSECTE, ROCHER, DE FEU, DE GLACE

FAIBLE CONTRE :
POKÉMON ÉLECTRIQUE, DRAGON, DE COMBAT, D'EAU, DES CHAMPS

ÉVOLUTION :
NORMALE

Où peut-on trouver un fossile
Hélix? Tu dois battre un entraîneur
de Pokémon rival sur le mont Moon.
Omastar reste un mystère pour les
scientifiques. Selon certaines
théories, les Omastar ont disparu
lorsque leur carapace s'est épaissie à
un point tel qu'il est devenu
impossible pour eux de se nourrir.

Nº 140 KABUTO

PRONONCIATION :
KA-BOU-TO

ÉLÉMENT :
ROCHER/EAU

TYPE :
COQUILLAGE

TAILLE :
50 CM

POIDS :
11 KG

TECHNIQUES :
ÉRAFLURES, DURCISSEMENT

AUTRES TECHNIQUES :
COUP DE FOUET, REGARD MAUVAIS, POMPE À EAU

FORT CONTRE :
POKÉMON DE FEU, DE GLACE, VOLANT, INSECTE, ROCHER

FAIBLE CONTRE :
POKÉMON ÉLECTRIQUE, DRAGON, DE COMBAT, D'EAU, DES CHAMPS

ÉVOLUTION :
NORMALE

NIVEAU DE L'ÉVOLUTION :
40

Vu d'en haut, ce Pokémon éteint depuis longtemps ressemble à un caillou lisse bien ordinaire. Mais de face, on voit bien que Kabuto n'est rien de moins qu'un sournois Pokémon qui ressemble à un insecte. Pour obtenir un Kabuto, tu dois d'abord te procurer un fossile Dôme; pour ce faire, tu dois gagner une bataille contre un autre entraîneur sur le mont Moon. (Le fossile Dôme provient du fonds marin.) Ensuite, apporte le fossile aux scientifiques de l'Île de Cinnabar. Ils pourront ramener ton Kabuto à la vie.

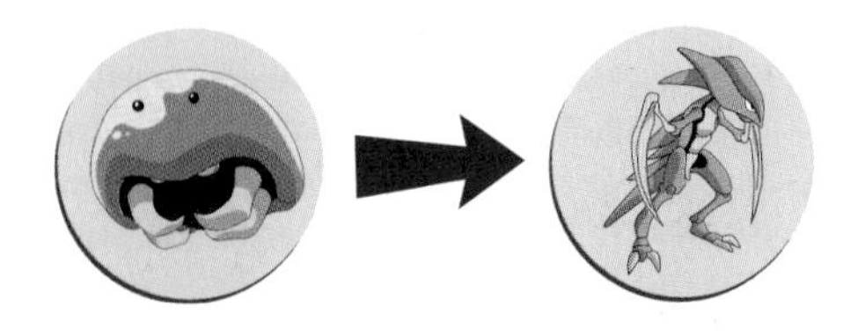

Nº 141 KABUTOPS

PRONONCIATION :
KA-BOU-TOP-SE

ÉLÉMENT :
ROCHER/EAU

TYPE :
COQUILLAGE

TAILLE :
1 M 28

POIDS :
40 KG

TECHNIQUES :
ÉRAFLURES, DURCISSEMENT, ABSORPTION, COUP DE FOUET

AUTRES TECHNIQUES :
REGARD MAUVAIS, POMPE À EAU

FORT CONTRE :
POKÉMON VOLANT, INSECTE, ROCHER, DE FEU, DE GLACE

FAIBLE CONTRE :
POKÉMON ÉLECTRIQUE, DRAGON, DE COMBAT, D'EAU, DES CHAMPS

ÉVOLUTION :
NORMALE

Kabuto évolue pour devenir Kabutops, un excellent nageur. Pendant ses attaques imprévisibles, Kabutops coupe et vide le corps de ses ennemis avec ses griffes acérées.

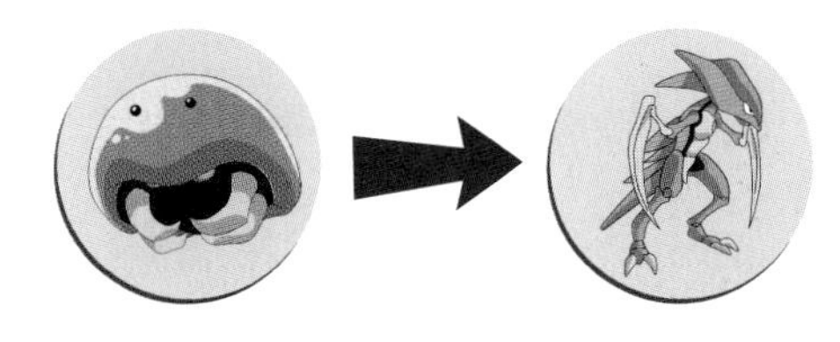

N° 142 AERODACTYL

PRONONCIATION :
A-É-RO-DAC-TIL

ÉLÉMENT :
ROCHER/AIR

TYPE :
FOSSILE

TAILLE :
1 M 78

POIDS :
59 KG

TECHNIQUES :
ATTAQUE AILÉE, AGILITÉ

AUTRES TECHNIQUES :
ATTAQUE SUPERSONIQUE, MORSURES, RENVERSEMENT, HYPER RAYON

FORT CONTRE :
POKÉMON VOLANT, INSECTE, DE FEU, DE GLACE, DES CHAMPS

FAIBLE CONTRE :
POKÉMON ÉLECTRIQUE, ROCHER, DE TERRE

ÉVOLUTION :
AUCUNE

On ne peut capturer un Aerodactyl sauvage. On doit le cloner dans le laboratoire de Pokémon, en utilisant de l'ambre ancien que l'on trouve au musée de la ville de Pewter. Cette terreur préhistorique peut être meurtrière si elle tombe entre de mauvaises mains. Aerodactyl fond sur la gorge de l'ennemi avec ses dents acérées comme des couteaux.

Extrait du Pokédex :
EXCURSION : Amène ton équipe visiter le fan club des Pokémon dans la superbe ville de Vermilion située au bord de la mer. Tes amis Pokémon adoreront les célébrations quotidiennes qui se tiennent en leur honneur.

N° 143 SNORLAX

PRONONCIATION :
SNOR-LAC-SE
ÉLÉMENT :
NORMAL
TYPE :
SOMMEIL
TAILLE :
2 M
POIDS :
456 KG
TECHNIQUES :
ATTAQUE AÉRIENNE, AMNÉSIE, REPOS
AUTRES TECHNIQUES :
COUP AVEC LE CORPS, DURCISSEMENT, DOUBLE TRANCHANT, HYPER RAYON
FORT CONTRE :
AUCUN POKÉMON
FAIBLE CONTRE :
POKÉMON ROCHER
ÉVOLUTION :
AUCUNE

Si ce Pokémon rare était l'un des Sept nains, il serait Dormeur, mais il n'a pas du tout la taille d'un nain! Manger et dormir sont ses activités préférées. Snorlax pèse près de 500 kg et est l'un des Pokémon les plus gros et les plus paresseux. Il se couche n'importe où pour faire la sieste — même au milieu de la route. On raconte qu'un jour, Snorlax s'est jeté dans un lac pour y faire une sieste. Il a fait déborder toute l'eau du lac et l'a complètement asséché. Il faut plus de 400 kg de nourriture pour satisfaire l'appétit d'ogre de Snorlax. Après avoir fait l'effort de manger, il est épuisé et il s'étend pour faire une sieste. Plus il est gros, plus il a besoin de sommeil — il vaut donc mieux ne pas trop le nourrir. Surtout si tu veux passer un peu de temps avec lui. Tu peux aussi tout laisser tomber et utiliser Snorlax comme oreiller pour faire un bon somme.

N° 144 ARTICUNO

PRONONCIATION :
AR-TI-COU-NO
ÉLÉMENT :
GLACE/AIR
TYPE :
GLACIAL
TAILLE :
1 M 67
POIDS :
55 KG
TECHNIQUES :
COUP DE BEC, FAISCEAU GLACIAL
AUTRES TECHNIQUES :
BLIZZARD, AGILITÉ, BRUME
FORT CONTRE :
POKÉMON VOLANT, DRAGON, INSECTE, DES CHAMPS, DE TERRE, DE COMBAT
FAIBLE CONTRE :
POKÉMON, ÉLECTRIQUE, DE FEU, D'EAU, DE GLACE
ÉVOLUTION :
AUCUNE

Extrait du Pokédex :
Comme la plupart des espèces rares, le trio d'oiseaux légendaires est difficile à attraper, mais le jeu en vaut la chandelle. Prends ton temps. Commence par faire baisser leur énergie ou endors-les. Apporte beaucoup de balles ultra. Tu n'as tout simplement aucune chance d'attraper ces majestueuses créatures avec une balle Poké.

Cet oiseau bleu mystique fait partie d'un trio qui compte également Zapdos et Moltres. Il vit au fond d'une caverne sur les îles Seafoam, là où le courant est le plus fort — c'est du moins ce que prétend la légende. On dit qu'il se place bien en vue et qu'il n'apparaît qu'aux yeux des malheureux qui se perdent dans les montagnes glacées.

N° 145 ZAPDOS

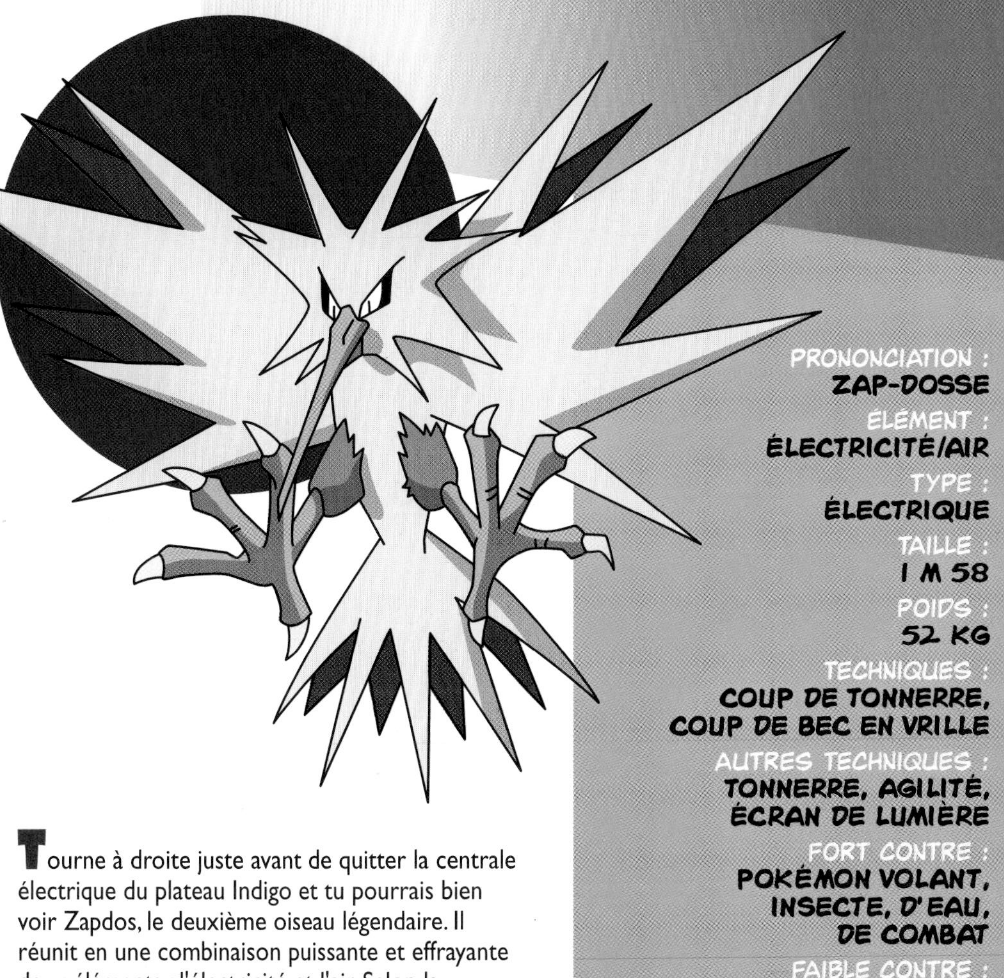

PRONONCIATION :
ZAP-DOSSE

ÉLÉMENT :
ÉLECTRICITÉ/AIR

TYPE :
ÉLECTRIQUE

TAILLE :
1 M 58

POIDS :
52 KG

TECHNIQUES :
COUP DE TONNERRE, COUP DE BEC EN VRILLE

AUTRES TECHNIQUES :
TONNERRE, AGILITÉ, ÉCRAN DE LUMIÈRE

FORT CONTRE :
POKÉMON VOLANT, INSECTE, D'EAU, DE COMBAT

FAIBLE CONTRE :
POKÉMON ÉLECTRIQUE, DRAGON, ROCHER

ÉVOLUTION :
AUCUNE

Tourne à droite juste avant de quitter la centrale électrique du plateau Indigo et tu pourrais bien voir Zapdos, le deuxième oiseau légendaire. Il réunit en une combinaison puissante et effrayante deux éléments : l'électricité et l'air. Selon la légende, Zapdos descend des nuages en lançant d'imposants éclairs de lumière. Sa technique de défense par écran de lumière réduit de moitié les dommages que ses adversaires tentent de lui infliger. Approche-le avec prudence. Essaie les mêmes techniques de capture qu'avec les autres oiseaux légendaires.

Nº 146 MOLTRES

PRONONCIATION :
MOL-TRESSE

ÉLÉMENT :
FEU/AIR

TYPE :
FLAMME

TAILLE :
1 M 97

POIDS :
59 KG

TECHNIQUES :
COUP DE BEC, TOURBILLON DE FEU

AUTRES TECHNIQUES :
REGARD MAUVAIS, AGILITÉ, ATTAQUE VERTICALE

FORT CONTRE :
POKÉMON INSECTE, DES CHAMPS, DE GLACE, DE COMBAT

FAIBLE CONTRE :
POKÉMON ROCHER, DRAGON, ÉLECTRIQUE, DE FEU, D'EAU

ÉVOLUTION :
AUCUNE

Sur la route 23, en direction de la route Victory, tu pourrais tomber sur le repaire du troisième oiseau légendaire, Moltres. Comme les autres, on le voit si rarement que bien des gens croient qu'il n'existe pas vraiment. Moltres est l'oiseau de feu. À chaque coup d'aile, il crée d'énormes flammes. Si quelqu'un le voit, Moltres disparaît dans un éclair de feu. Il est tout aussi difficile à capturer que les autres oiseaux du légendaire trio.

Extrait du Pokédex :
Certains Pokémon sont si rares qu'il n'y en a qu'un seul. Articuno, Zapdos, Moltres, Mewtwo, Eevee et Farfetch'd sont de ceux-là.

Nº 147 DRATINI

PRONONCIATION :
DRA-TI-NI
ÉLÉMENT :
DRAGON
TYPE :
DRAGON
TAILLE :
1 M 78
POIDS :
3 KG
TECHNIQUES :
ÉTOUFFEMENT, REGARD MAUVAIS

AUTRES TECHNIQUES :
ONDE DE CHOC, AGILITÉ, COUP VIOLENT, COLÈRE DE DRAGON, HYPER RAYON
FORT CONTRE :
POKÉMON DRAGON
FAIBLE CONTRE :
AUCUN POKÉMON
ÉVOLUTION :
NORMALE
NIVEAU DE L'ÉVOLUTION :
30

Pendant des années, on a cru que Dratini n'était qu'une légende. Un autre Pokémon mythique? Pas si vite! On en a découvert une petite colonie à une très grande profondeur sous l'eau.

Nº 148 DRAGONAIR

PRONONCIATION :
DRA-GO-NÈ-RE
ÉLÉMENT :
DRAGON
TYPE :
DRAGON
TAILLE :
3 M 90
POIDS :
16 KG
TECHNIQUES :
ÉTOUFFEMENT, REGARD MAUVAIS, ONDE DE CHOC

AUTRES TECHNIQUES :
AGILITÉ, COUP VIOLENT, COLÈRE DE DRAGON, HYPER RAYON
FORT CONTRE :
POKÉMON DRAGON
FAIBLE CONTRE :
AUCUN POKÉMON
ÉVOLUTION :
NORMALE
NIVEAU DE L'ÉVOLUTION :
55

Dragonair, le Pokémon magique, est si doux que même l'air qui l'entoure respire le calme. Il a également l'incroyable capacité de faire changer le temps. Besoin d'un peu de soleil? Garde Dragonair à portée de la main les jours de pluie! Pour la plupart de ses techniques de combat, comme l'étouffement, l'agilité, le coup violent et la colère de dragon, Dragonair met à profit son corps long et puissant.

N° 149 DRAGONITE

PRONONCIATION :
DRA-GO-NI-TE

ÉLÉMENT :
DRAGON/AIR

TYPE :
DRAGON

TAILLE :
2 M 18

POIDS :
208 KG

TECHNIQUES :
ÉTOUFFEMENT, REGARD MAUVAIS, ONDE DE CHOC, AGILITÉ, COUP VIOLENT, COLÈRE DE DRAGON

AUTRES TECHNIQUES :
HYPER RAYON

FORT CONTRE :
POKÉMON DRAGON, INSECTE, DES CHAMPS, DE COMBAT

FAIBLE CONTRE :
POKÉMON ÉLECTRIQUE, ROCHER

ÉVOLUTION :
NORMALE

Ce rare habitant des eaux n'a pas été vu très souvent. Même si ses ancêtres lointains sont probablement les dragons ailés des contes de fée, on dit que Dragonite est aussi intelligent que les humains.

Nº 150 MEWTWO

PRONONCIATION :
MI-OU-TOU
ÉLÉMENT :
SURNATUREL
TYPE :
GÉNÉTIQUE
TAILLE :
1 M 98
POIDS :
121 KG
TECHNIQUES :
CONFUSION, MISE HORS DE COMBAT, VIVACITÉ
AUTRES TECHNIQUES :
BARRIÈRE, POUVOIRS SURNATURELS, RÉCUPÉRATION, BRUME, AMNÉSIE
FORT CONTRE :
POKÉMON POISON, DE COMBAT
FAIBLE CONTRE :
POKÉMON SURNATUREL
ÉVOLUTION :
AUCUNE

Mewtwo est le Pokémon le plus difficile à capturer. Tu en as entendu parler. Tu as lu des choses à son sujet. Maintenant, tu dois y faire face. Mewtwo a été créé dans le laboratoire de l'Île de Cinnabar après des années de recherche sur l'ADN et le clonage. Les scientifiques ont traité génétiquement les cellules de Mew, le Pokémon le plus rare sur terre, dans l'espoir de créer l'ultime machine de combat. Ils ont réussi, mais ils l'ont amèrement regretté. Mewtwo est féroce et extrêmement hostile. On ne peut le capturer avec une balle Poké. N'essaie même pas. Tu as besoin d'une balle de maître pour capturer ce terrible félin. Tu ne peux trouver Mewtwo qu'après avoir défait l'Élite quatre. Tu devras utiliser toutes les habilités que tu as acquises pendant ton voyage. Si tu réussis à gagner contre Mewtwo, tu pourras porter le titre du plus grand maître de Pokémon au monde.

LES DIX MEILLEURES FAÇONS DE PRENDRE BIEN SOIN DE TON POKÉMON

10. Apporte-le régulièrement au centre des Pokémon le plus proche pour un examen médical gratuit et une guérison complète. Il y en a un dans chaque ville importante. Assure-toi toujours que ton Pokémon est bien reposé et en bonne santé avant un combat important.

9. Échange-le contre celui d'un ami. Plus ton Pokémon acquiert de nouvelles expériences de vie, plus il sera puissant et intelligent. Tu pourras ensuite le ravoir en procédant à un autre échange.

8. Conserve une trousse de premiers soins bien garnie. Les batailles, même amicales, provoquent des coupures, des éraflures et des bleus. Dans chaque ville se trouve un centre commercial Poké Mart, où tu peux acheter des fournitures, mais le grand magasin de la ville de Celadon est le mieux approvisionné. Une bonne trousse de premiers soins comprend :

Une potion ravigotante — Pour réveiller un Pokémon qui s'est fait endormir.
Un antidote — Pour soigner les piqûres empoisonnées.
Une lotion antiparalysante — Pour délier les muscles d'un Pokémon qui ne peut plus bouger.
Une lotion contre les brûlures — Pour apaiser les brûlures douloureuses provoquées par les éléments de feu.
Des potions — Pour guérir les blessures en général.

Un revigorant — Pour réveiller un Pokémon inconscient.

Une lotion réchauffante — Pour dégeler les Pokémon congelés.

7. Ne sois pas pressé. N'essaie pas de te mesurer trop vite à un autre entraîneur. Ton Pokémon gagnera de l'expérience au cours de petites compétitions contre des Pokémon sauvages. Si tu es prêt à mettre un autre entraîneur au défi, assure-toi que ton Pokémon et celui de ton entraîneur ont à peu près la même expérience.

6. Entraîne ton Pokémon — Laisse un Pokémon nouveau ou débutant commencer un combat important. Puis, remplace-le par un Pokémon plus puissant avant qu'il ne se blesse. Des batailles rapides et sécuritaires sont un bon moyen de faire acquérir de l'expérience à ton Pokémon.

5. Fais preuve de jugement. Assure-toi que tu en sais le plus possible sur ton Pokémon avant de choisir la façon dont tu l'entraîneras. Chaque Pokémon est unique et a des besoins différents.

4. Emmène ton Pokémon au musée. On trouve un formidable musée de sciences dans la ville de Pewter, où sont exposés les os de Pokémon préhistoriques. À ne pas manquer!

3. Travail d'équipe. Les six Pokémon que tu transportes avec toidevraient posséder des techniques et des éléments différents. Tu dois aussi éviter de te concentrer sur l'élevage d'un Pokémon en négligeant celui des autres. Tes Pokémon doivent être de puissance égale. Le travail d'équipe est le secret du succès.

2. N'oublie pas tes vitamines! Les Pokémon doivent prendre leurs vitamines et minéraux pour demeurer forts et en bonne santé. Voici quelques vitamines que tu peux acheter pour ton Pokémon :

du calcium — pour accroître ses pouvoirs spéciaux
du carbos — pour augmenter sa vitesse
du fer — pour renforcer ses défenses
des protéines — pour augmenter sa puissance d'attaque
des bonbons rares — OK. Ce ne sont pas des vitamines. Mais une petite gâterie de temps à autre fera plaisir à ton Pokémon et lui permettra de refaire le plein d'énergie.

1. AIME-LES! Les Pokémon ne sont pas seulement des combattants. Ils veulent aussi ton amitié. Si tu en prends bien soin, ils deviendront de loyaux compagnons.

FAQ (FOIRE AUX QUESTIONS)

Question : ***Mon Pokémon n'obéit à aucun de mes ordres. Il ne veut pas rester dans sa balle Poké, et lorsque je lui demande de combattre, il pique un somme.***

Réponse : Les Pokémon veulent être compris et te désobéiront s'ils croient que tu n'as pas suffisamment d'expérience. Les écussons indiquent que tu as acquis assez de connaissances et que tu as gagné le respect et l'amitié de ton Pokémon. Voici un bref résumé :

Écusson cascade :
Les Pokémon des niveaux 1 à 30 t'obéiront.

Écusson arc-en-ciel :
Les Pokémon des niveaux 31 à 50 t'obéiront.

Écusson marécage :
Les Pokémon des niveaux 51 à 70 t'obéiront.

Écusson terre :
Tous les Pokémon t'obéiront.

Comment peux-tu obtenir un écusson? Tu en gagnes un chaque fois que tu remportes un combat contre le chef du gym d'une ville importante. Cela exige beaucoup d'entraînement, mais plus tu combattras et vaincras des chefs de gym, plus tu recevras d'écussons.

Question : ***J'adore mon Bulbasaur! Je ne veux pas qu'il évolue. Est-ce que je dois absolument le transformer?***

Réponse : Mais non, ce n'est pas une obligation. Tu peux avoir toutes sortes de bonnes raisons pour garder ton Pokémon à son stade d'évolution pendant un certain temps — même s'il a acquis suffisamment d'expérience pour évoluer. Par exemple, tu pourrais craindre que ton nouvel Ivysaur ne soit pas aussi proche de toi que ton ancien Bulbasaur. Ou, en tant qu'entraîneur, tu n'as peut-être pas l'écusson approprié qui te permettra de te faire obéir de ton Pokémon plus évolué. Certains Pokémon, comme ceux qui se transforment à l'aide d'une pierre particulière plutôt que par l'expérience, ne peuvent apprendre de nouvelles techniques à leur nouveau stade. Ou ils apprennent une série de techniques complètement différentes de celles qu'ils utilisaient à des stades moins évolués.

Il est aussi plus facile de dresser des Pokémon lorsqu'ils sont jeunes. On n'apprend pas à un vieux singe à faire des grimaces, n'est-ce pas? Évoluer ou ne pas évoluer? Voilà la question. Avant de prendre une décision, tu devrais peut-être attendre que ton Pokémon soit bien entraîné... ou le consulter!

Question : ***Des balles ultra, des balles safari et des balles de maître maintenant! Je commençais juste à comprendre ce qu'est une balle Poké!***

Réponse : Certains Pokémon, comme Snorlax ou Golem, sont si puissants et ont acquis tellement d'expérience qu'on ne peut les contenir dans une balle Poké ordinaire. Au fil de tes aventures, tu pourras acheter des balles super et des balles ultra pour ces Pokémon. On n'utilise les balles safari qu'au parc d'amusement Zone Safari. La balle de maître est la balle la plus robuste réservée aux Pokémon les plus puissants. Mais tu ne peux avoir qu'une seule balle de maître; tu dois donc t'en servir avec sagesse — contre Mewtwo, par exemple, le Pokémon le plus difficile à capturer!

Question : ***Je viens tout juste de capturer un Pokémon sauvage. Mais j'ai un autre Pokémon de la même espèce qui semble mieux élevé, plus puissant et plus intelligent, même s'il est du même niveau. Pourquoi?***

Réponse : En général, un Pokémon entraîné est plus puissant qu'un Pokémon sauvage qui a acquis la même expérience. Tu as beaucoup d'influence sur ton Pokémon lorsque tu l'entraînes toi-même. Tu lui apprends d'autres techniques et lui permets d'exercer ses stratégies de combat tout en lui donnant beaucoup d'amour. L'attention que tu lui portes augmente la force interne de ton Pokémon et améliore sa personnalité, ce qui le rend plus sain, plus puissant et plus heureux. Mais ne t'en fais pas. Avec un peu d'amour et de patience, ton nouveau Pokémon te donnera l'occasion de faire ses preuves lui aussi.

Attrape-les tous!mc

LISTE DE CONTRÔLE ✔

NUMÉRO	POKÉMON	ATTRAPÉ!
1	BULBASAUR	
2	IVYSAUR	
3	VENUSAUR	
4	CHARMANDER	
5	CHARMELEON	
6	CHARIZARD	
7	SQUIRTLE	
8	WARTORTLE	
9	BLASTOISE	
10	CATERPIE	
11	METAPOD	
12	BUTTERFREE	
13	WEEDLE	
14	KAKUNA	
15	BEEDRILL	
16	PIDGEY	
17	PIDGEOTTO	
18	PIDGEOT	
19	RATTATA	
20	RATICATE	
21	SPEAROW	
22	FEAROW	
23	EKANS	

NUMÉRO	POKÉMON	ATTRAPÉ
24	ARBOK	
25	PIKACHU	
26	RAICHU	
27	SANDSHREW	
28	SANDSLASH	
29	NIDORAN ♀	
30	NIDORINA	
31	NIDOQUEEN	
32	NIDORAN ♂	
33	NIDORINO	
34	NIDOKING	
35	CLEFAIRY	
36	CLEFABLE	
37	VULPIX	
38	NINETALES	
39	JIGGLYPUFF	
40	WIGGLYTUFF	
41	ZUBAT	
42	GOLBAT	
43	ODDISH	
44	GLOOM	
45	VILEPLUME	
46	PARAS	
47	PARASECT	
48	VENONAT	

NUMÉRO	POKÉMON	ATTRAPÉ
49	VENOMOTH	
50	DIGLETT	
51	DUGTRIO	
52	MEOWTH	
53	PERSIAN	
54	PSYDUCK	
55	GOLDUCK	
56	MANKEY	
57	PRIMEAPE	
58	GROWLITHE	
59	ARCANINE	
60	POLIWAG	
61	POLIWHIRL	
62	POLIWRATH	
63	ABRA	
64	KADABRA	
65	ALAKAZAM	
66	MACHOP	
67	MACHOKE	
68	MACHAMP	
69	BELLSPROUT	
70	WEEPINBELL	
71	VICTREEBEL	
72	TENTACOOL	
73	TENTACRUEL	
74	GEODUDE	

NUMÉRO	POKÉMON	ATTRAPÉ
75	GRAVELER	
76	GOLEM	
77	PONYTA	
78	RAPIDASH	
79	SLOWPOKE	
80	SLOWBRO	
81	MAGNEMITE	
82	MAGNETON	
83	FARFETCH'D	
84	DODUO	
85	DODRIO	
86	SEEL	
87	DEWGONG	
88	GRIMER	
89	MUK	
90	SHELLDER	
91	CLOYSTER	
92	GASTLY	
93	HAUNTER	
94	GENGAR	
95	ONIX	
96	DROWZEE	
97	HYPNO	
98	KRABBY	
99	KINGLER	
100	VOLTORB	

NUMÉRO	POKÉMON	ATTRAPÉ
101	ELECTRODE	☐
102	EXEGGCUTE	☐
103	EXEGGUTOR	☐
104	CUBONE	☐
105	MAROWAK	☐
106	HITMONLEE	☐
107	HITMONCHAN	☐
108	LICKITUNG	☐
109	KOFFING	☐
110	WEEZING	☐
111	RHYHORN	☐
112	RHYDON	☐
113	CHANSEY	☐
114	TANGELA	☐
115	KANGASKHAN	☐
116	HORSEA	☐
117	SEADRA	☐
118	GOLDEEN	☐
119	SEAKING	☐
120	STARYU	☐
121	STARMIE	☐
122	MR. MIME	☐
123	SCYTHER	☐
124	JYNX	☐
125	ELECTABUZZ	☐

NUMÉRO	POKÉMON	ATTRAPÉ
126	MAGMAR	
127	PINSIR	
128	TAUROS	
129	MAGIKARP	
130	GYARADOS	
131	LAPRAS	
132	DITTO	
133	EEVEE	
134	VAPOREON	
135	JOLTEON	
136	FLAREON	
137	PORYGON	
138	OMANYTE	
139	OMASTAR	
140	KABUTO	
141	KABUTOPS	
142	AERODACTYL	
143	SNORLAX	
144	ARTICUNO	
145	ZAPDOS	
146	MOLTRES	
147	DRATINI	
148	DRAGONAIR	
149	DRAGONITE	
150	MEWTWO	

POKÉMON™